# Y STORM

# Y STORM

## William Shakespeare

Addasiad Gwyneth Lewis
o *The Tempest*

Comisiwn gan
Theatr Genedlaethol Cymru 2012

Argraffiad cyntaf 2012

© Gwyneth Lewis

ISBN: 978 1 906396 49 7

Cyhoeddwyd gyda chymorth ariannol Cyngor Llyfrau Cymru


Cyhoeddwyd gan Gyhoeddiadau Barddas

Argraffwyd gan Y Lolfa, Tal-y-bont

# Rhagymadrodd

Mae'n bur debyg mai dim ond unwaith mewn oes dyn y bydd y Gemau Olympaidd a Pharalympaidd i'w gweld ar garreg ei ddrws. Gyda bod 'Sioe Fwya'r Byd' yn ymweld â Llundain a mannau eraill trwy Wledydd Prydain (gan gynnwys Cymru) yr haf hwn, teg yw dathlu'r achlysur rhyngwladol unigryw gyda chynhyrchiad uchelgeisiol o un o ddramâu mwya'r byd. Mae Theatr Genedlaethol Cymru'n falch o gyflwyno *Y Storm*, sef addasiad Cymraeg newydd gan Gwyneth Lewis o *The Tempest*, gan William Shakespeare, fel rhan o Ŵyl Shakespeare y Byd y Royal Shakespeare Company a Gŵyl Llundain 2012, sef yr ŵyl ddiwylliannol sy'n cydredeg â'r Gemau Olympaidd a Pharalympaidd eleni.

Fel rhan o Ŵyl Shakespeare y Byd, mewn cyfnod o saith wythnos yn gynharach eleni, fe berfformiwyd yn theatr y Globe yn Llundain bob un o dri deg saith o ddramâu Shakespeare mewn tri deg saith o ieithoedd (h.y., iaith wahanol i bob un), mewn cyfres o gynyrchiadau o'r enw *Globe to Globe*. Mae Gŵyl Shakespeare y Byd yn cynnwys 41 o gynyrchiadau i gyd, mewn dau ddeg pedwar o leoliadau trwy Brydain, yn ychwanegol at y tri deg saith cynhyrchiad a gyflwynwyd eisoes yn y Globe, gyda naw o'r rheini mewn ieithoedd ar wahân i'r Saesneg. Mae'r rhain yn cynnwys *Romeo and Juliet* yn yr Arabeg, *Macbeth* yn y Bwyleg, *A Midsummer Nights's Dream* yn y Rwsieg, drama newydd wedi ei hysbrydoli gan goedwigoedd yn nramâu Shakespeare yn y Gatalaneg; ac wrth gwrs, y cynhyrchiad hwn o *The Tempest* yn y Gymraeg.

Nid yw cyfieithu drama, heb sôn am gyfieithu gweithiau Shakespeare, yr un fath â chyfieithu dogfen, neu nofel hyd yn oed. Pan fo dramodydd yn ysgrifennu deialog, mae ei union ddewis o eiriau yn adlewyrchu cefndir, natur, teithi meddwl ac amcanion ei gymeriadau, boed y rheini'n elfennau sy'n ymwybodol neu'n anymwybodol i'r cymeriadau hynny eu hunain. Y gamp wrth gyfieithu drama, felly, yw nid yn unig mynd o dan groen y testun i gloddio yn y chwareli hyn, ond i ddewis yr union eiriau sy'n cyflawni cymaint ag sy'n bosibl o fwriadau'r awdur gwreiddiol. Ond fe ŵyr pawb fod cyd-destun diwylliannol geiriau a dywediadau yn gallu amrywio'n helaeth o un iaith i'r llall.

Ac yng nghyswllt cyfieithu un o ddramâu Shakespeare, y mae her bellach! Mae rhythm arbennig i farddoniaeth dramâu Shakespeare. Mae rhai o'r cymeriadau'n siarad mewn mydr, ac eraill yn siarad rhyddiaith; a'r dewis hwnnw gan Shakespeare yn un bwriadol iawn, wrth reswm. Fe haerwn efallai fod cyfieithu'r darnau rhyddieithol ryw ychydig yn haws. Ond wrth gyfieithu'r darnau mydryddol, mae gofyn am grefft hynod. Nid yw'r un rhythmau yn perthyn i'r Gymraeg ag i'r Saesneg, ac roedd gwrando ar Gwyneth yn trafod y testun yn nyddiau cynnar y comisiwn hwn ac yn amlygu'r gwahaniaeth rhwng rhythmau naturiol y ddwy iaith yn agoriad llygad (neu glust!) i mi. Mae'n cymryd bardd efallai i ddatgelu pethau fel hyn i feidrolyn! Camp y cyfieithydd, felly, yw adlewyrchu yn y Gymraeg rythmau barddonol testun gwreiddiol Shakespeare a chreu rhythmau newydd priodol i'r Gymraeg.

Drwy ei fod yn gyfarwyddwr yn ogystal â dramodydd, ac am y dymunai (fel pob dramodydd) i'r actor gyfleu yn ei berfformiad gymaint ag oedd yn bosibl o'i fwriadau ef wrth ysgrifennu'r ddeialog, roedd Shakespeare yn creu rhythmau barddonol i helpu'r actor i gyfleu'r bwriadau hynny bron yn ddamweiniol, neu heb orfod ymboeni rhyw lawer. Mae rhythm y llinellau, fel cerddoriaeth mewn opera, yn mynd â rhywun yn nes at galon y dweud, ac yn cyfleu mewn modd uniongyrchol, yr elfennau hanfodol hynny ynghylch y cymeriadau a'u sefyllfaoedd, sydd, yn eu tro, yn creu drama. Nid awgrymu rwyf, wrth reswm, fod actorion yn ddiog, neu'n anabl i dyrchu'n ddwfn i'r ddeialog er mwyn canfod y gwirioneddau gwerthfawr hynny drostynt eu hunain, ac yna'u trosglwyddo i gynulleidfa! Ond roedd Shakespeare yn gwneud gwaith yr actor a'r cyfarwyddwr yn haws, neu'n ei warchod ei hun cymaint â phosibl, efallai, rhag y foment honno ar noson agoriadol un o'i ddramâu pan fyddai'n gorfod protestio'n dawel boenus iddo'i hun, neu ddatgan i'r theatr gyfan, 'Na! Nid dyna o'n i'n feddwl!'

Felly, nid ar chwarae bach, ddywedwn i, mae derbyn yr her o gyfieithu un o ddramâu Shakespeare, ac mae ein diolch yn fawr i Gwyneth am fentro.

A beth am yr ieithwedd wedyn? Wrth gwrs, roedd Shakespeare yn ysgrifennu ei ddramâu yn Saesneg diwedd yr unfed ganrif ar bymtheg a dechrau'r ail ganrif ar bymtheg. Mae yna ryw lun ar gytundeb ymysg ysgolheigion mai dyma ddrama olaf Shakespeare, ac, i bob pwrpas, mae'n cael ei hystyried fel ffarwél i'w gelfyddyd, cyn iddo ymddeol a dychwelyd o Lundain i Stratford, a marw'n 52 mlwydd oed. Credir, yn gyffredinol, mai 1611 oedd union flwyddyn ei chyfansoddi (pan oedd y Pla Du yn ei anterth). Beth bynnag am hynny, wrth gyfieithu drama sydd bellach yn ganrifoedd oed, mae'n bosibl fod gan gyfieithydd rhyw fantais fach ar yr awdur gwreiddiol! Mae'n medru dewis iaith, neu fath ar ieithwedd sy'n fwy dealladwy neu hygyrch i gynulleidfa gyfoes. Byddai dewis cyfieithu gan ddefnyddio rhyw fath o Gymraeg y credir iddi gael ei siarad ar ddechrau'r ail ganrif ar bymtheg yn ddewis go chwithig; ac oni bai fod y cyfieithydd yn feistr ar iaith y cyfnod hwnnw, efallai'n ddewis annoeth. Ac eto, tybed a yw cynulleidfa gyfoes yn disgwyl clywed rhyw dinc clasurol (beth bynnag yw hwnnw) i gyflwyniad o waith sy'n deillio o ddechrau'r ail ganrif ar bymtheg?

Wrth ymrafael â'r cwestiynau hyn, ac o wybod yn gynnar (am resymau ymarferol) bod gofyn inni berfformio'r gwaith o fewn terfynau amser penodedig, fe ddaeth Theatr Genedlaethol Cymru a Gwyneth i'r penderfyniad mai addasiad fyddai'r gwaith hwn yn hytrach na chyfieithiad. Ac eto, onid addasiad, mewn gwirionedd, yw pob cyfieithiad o destun celfyddydol? Dyma, beth bynnag, a ddywed y cyfieithydd: 'Byddai'n werth nodi fy mod wedi cyfieithu fwy neu lai, gyda'r pwyslais ar fod yn fodern ac ar wneud y gwreiddiol yn ddealladwy i gynulleidfa heddiw. Mae un eithriad, sef y Masg, lle sgwennes i rywbeth tebyg ond cyfatebol.'

Mae Gŵyl Shakespeare y Byd yn dangos unwaith eto nad oes pall ar boblogrwydd gweithiau'r dramodydd hwn o Sais a bod rhywbeth arbennig, cyfrin hyd yn oed, am ei ddramâu sy'n golygu bod diwylliannau ar draws y byd yn eu mwynhau ac yn mynnu eu profi dro ar ôl tro, a hynny yn eu hieithoedd eu hunain. Er mor gelfydd yw defnydd Shakespeare o'i iaith ei hun, nid yw clywed yr union iaith honno, er mor hyfryd, yn hanfodol er mwyn gwerthfawrogi a mwynhau ei ddramâu. Mae eu gweledigaeth a'u huchelgais theatraidd, ynghyd â dealltwriaeth ac ymdriniaeth ddeheuig Shakespeare o'r natur ddynol, yn golygu fod y gweithiau mawrion hyn yn croesi ffiniau ieithyddol, ac yn brawf o'r hen ddywediad mai 'dyn yw dyn ar bum cyfandir'.

Arwel Gruffydd<br>
Cyfarwyddwr Artistig<br>
Theatr Genedlaethol Cymru

*I'm rhieni*

# Y STORM

Addasiad Gwyneth Lewis o *The Tempest*, William Shakespeare.

Perfformiwyd gyntaf gan Theatr Genedlaethol Cymru mewn pabell bwrpasol ar faes Eisteddfod Genedlaethol Cymru, Bro Morgannwg, nos Fawrth, 7 Awst 2012.

## Dramatis Personae

| | |
|---|---|
| PROSPERO | Dug Milano |
| MIRANDA | ei ferch |
| ANTONIO | ei frawd, a ddygodd Ddugaeth Milano |
| GONZALO | hen gynghorydd gonest |
| ADRIAN }<br>FFRANSISCO } | Arglwyddi |
| ALONSO | Brenin Napoli |
| SEBASTIAN | ei frawd |
| FFERDINAND | mab Brenin Napoli |
| CALIBAN | trigolyn gwreiddiol yr ynys, caethwas Prospero |
| TRINCULO | clown |
| STEFFANO | bwtler meddw |
| MEISTR LLONG | |
| BOSN | |
| MORWYR | |
| ARIEL } | ysbryd |
| IRIS }<br>CERES }<br>IWNO } | rhithiau |

## Cast gwreiddiol: (yn nhrefn yr wyddor)

| | |
|---|---|
| YSBRYD/CERES | Claire Crook |
| YSBRYD/IWNO | Bridie Doyle |
| ALONSO | Ioan Hefin |
| SEBASTIAN | Ceri Murphy |
| MIRANDA | Lisa Marged |
| CALIBAN | Kai Owen |
| STEFFANO | Sion Pritchard |
| YSBRYD/IRIS | Ceri Rimmer |
| FFERDINAND | Gwydion Rhys |
| ANTONIO | Rhodri Siôn |
| TRINCULO | Hugh Thomas |
| GONZALO | Seiriol Tomos |
| PROSPERO | Llion Williams |
| ARIEL | Meilir Rhys Williams |

| | |
|---|---|
| Cyfarwyddwr: | Elen Bowman |
| Cynhyrchydd: | Mai Jones |
| Cyfarwyddwyr Syrcas: | James Roberts a Bridie Doyle /Citrus Arts |
| Cyfarwyddwr Corfforol: | Liz Ranken |
| Cynllunydd: | Naomi Dawson |
| Cynllunydd Goleuo: | Katharine Williams |
| Cynllunydd Sain a Fideo: | Ethan Forde |
| Cyfansoddwyr: | Lucy Rivers a Dan Lawrence |
| Fideograffydd: | Emily Dombroff |
| Rheolwr Cynhyrchu: | Ryan Evans |
| Rheolwr Llwyfan: | Angharad Mair Jones |
| Rheolwr Llwyfan Technegol: | Dan Trenchard |
| Dirprwy Reolwr Llwyfan: | Glesni Price-Jones |
| Rheolwr Llwyfan Cynorthwyol: | Gareth Wyn Roberts |
| Gwisgoedd: | Iona Williams |
| Ailoleuo ar daith: | Jon Turtle |

# ACT I

## GOLYGFA I

*(Sŵn gwyllt mellt a tharanau. Daw MEISTR a BOSN i mewn)*

MEISTR: Bosn!

BOSN: Yma, meistr! Sut hwyl?

MEISTR: Siarad â'r morwyr. Brysia, neu gawn ni'n dryllio! Cer! Cer!

*(Daw'r MORWYR i mewn)*

BOSN: Bois, dewch glou, tynnwch y brif hwyl fewn! Gwrandwch am chwiban y meistr! *(Wrth y storm)* Hwtha nes i ti rechu, ond rho i ni le.

*(Daw ALONSO, SEBASTIAN, ANTONIO, FFERDINAND, GONZALO ac eraill i mewn)*

ALONSO: Bosn, gyfaill, dere yma. Ble mae'r meistr? Actiwch fel dynion!

BOSN: Da chi, arhoswch o dan y dec!

ANTONIO: Ble mae'r meistr, Bosn?

BOSN: Chlywch chi mohono fe? Ry'ch chi yn y ffordd. Cerwch i'ch caban! Ry'ch chi'n helpu'r storm!

GONZALO: Gan bwyll, amynedd!

BOSN: Does dim gan y môr! Cerwch. Dyw'r gwynt yn becso dim am enw'r brenin. I'ch caban! Ust! Gadewch ni fod.

*(Allan)*

GONZALO: Well i ti gofio pwy sydd ar dy long.

BOSN: Does neb rwy'n ei garu'n fwy na fi fy hun. Ry'ch chi'n gynghorydd; os medrwch chi orchymyn yr elfennau hyn i

dewi a chreu heddwch, fe ollyngwn ein rhaffau. Defnyddiwch
eich awdurdod! Os na, diolchwch i chi fyw cyhyd, paratowch
yn eich caban i farw, os daw i hynny. Dyna chi, fechgyn. Mas
o'r ffordd!

GONZALO: Mae'r brawd yma'n gysur mawr i mi. 'Nôl ei olwg
milain, bydd yn siŵr o'i grogi. O ffawd, cofia ei grogi: bydded
rhaff ei dynged yn gadwyn angor i ni, cans ofer yw'r un sydd
gennym. Os na chafodd hwn ei eni i'w grogi, mae wedi canu
arnom.

*(Ânt allan. Daw'r BOSN i mewn)*

BOSN: Tynnwch y mast uchaf! Glou! Yn is, yn is! Gostyngwch
y brif hwyl! *(Bloedd oddi mewn)* Damnia'r bloeddio 'ma! Maen
nhw'n fwy swnllyd na'r tywydd, na ni wrth ein gwaith.

*(Daw SEBASTIAN, ANTONIO a GONZALO i mewn)*

Chi? Eto? Be wnewch chi fan hyn? Ydych chi am foddi? A
hoffech chi suddo?

SEBASTIAN: I'r diawl â thi'r hen gi cableddus.

BOSN: Dere i weithio 'te!

ANTONIO: Cer i grafu, y brych anghynnes! Mae gen ti fwy o
ofn boddi na ni.

GONZALO: Rwy'n addo na chaiff e ei foddi – er bod y bad fel
plisg cneuen, yn gollwng fel merch heb gadachau.

BOSN: Trowch hi i'r gwynt, i'r gwynt! Gosodwch hwyl flaen a
hwyl ganol allan i'r môr eto! Bant o'r tir!

*(Daw'r MORWYR i mewn yn wlyb)*

MORWYR: Ar ben! Gweddïwch, gweddïwch! Ar ben!

BOSN: Cyn hir bydd ein cegau'n oer!

GONZALO: Mae'r Brenin a'i fab yn gweddïo, gwnawn ninnau'r
un fath.

SEBASTIAN: Rwy'n colli amynedd.

ANTONIO: Oherwydd meddwon ry'n ni'n colli'n bywyd:
Ddihiryn cegfawr, cymer di hyd ddeg llanw
I foddi!

GONZALO: Fe gaiff ei grogi eto,
Er i bob diferyn o ddŵr y môr
Gystadlu i'w foddi.

(*Twrw o'r tu mewn:* "Catom pawb!" "Mae'r llong yn hollti!
Ffarwél fy ngwraig a'm plant!" "Ffarwél, frawd! R'yn ni'n
hollti, hollti, hollti!")

ANTONIO: Gadewch i ni foddi gyda'r brenin!

SEBASTIAN: Gadewch i ni'i adael e.

(*Â ANTONIO a SEBASTIAN allan*)

GONZALO: Nawr, fe roddwn filltiroedd o fôr am erw o dir
llwm – gwaun noeth, grug, banadl, eithin, beth bynnag.
Gwneler ewyllys y Goruchaf! Ond byddai'n well gen i farw'n
sych.

(*Allan*)


# GOLYGFA II

(*Daw PROSPERO a MIRANDA i mewn*)

MIRANDA: Dad annwyl, os mai ti a hudodd
  Y dyfroedd i ruo'n wyllt, pâr iddynt ostwng.
  Mae'r cymylau'n arllwys tân fel pits,
  Serch bod y môr yn estyn at foch y nen
  I ddiffodd y goelcerth. O, rwy'n dioddef
  Gyda'r rhai a welais yn dioddef –
  Llong nobl yn cario rhyw enaid da, mae'n siŵr,
  Yn rhacs ar y creigiau. Cnociodd eu cri
  Yn daer ar fy nghalon! Bu farw'r trueiniaid.
  Pe bawn i'n ddduw, yn meddu unrhyw rym,
  Byddai'n well gen i weld y tir yn llyncu'r môr
  Na'r dŵr yn boddi llong mor braf a'i chargo
  Gwerthfawr o eneidiau.

PROSPERO:         Ymlonydda.
  Paid ag arswydo. Dwêd wrth dy galon fach
  Na wnaethpwyd niwed.

MIRANDA:         Wyt ti'n siŵr?

PROSPERO:            Dim niwed!
  Fe wnes i bopeth dim ond er dy fwyn,

Ti, fy nghariad, fy merch sy'n gwybod dim
Mwy am bwy wyt ti na phwy wyf i,
Serch mai fi yw Prospero a dyma'n cell
Dim gwell, dim gwaeth.

MIRANDA:                    Ni tharfodd ar fy meddyliau
Fyth bod angen gwybod mwy.

PROSPERO:                    Mae'n bryd
I ti gael gwybod mwy. Rho law i mi
Ddiosg fy ngwisg. Gorwedd di yno, fy nysg.
Sych dy ddagrau, cym' gysur. Yr olygfa
Drychinebus gyda'r llongddrylliad a barodd
Ddolur i'th galon drugarog – fe weithiais i
Rith mor gelfydd fel na niweidiwyd un
Copa walltog, er i ti glywed cri
A'r llong yn suddo. Eistedd. Rhaid i ti
Ddeall mwy.

MIRANDA: Fe ddechreuaist ti ddweud
Pwy ydw i'n aml, ond gan orffen adrodd
Yr hanes gyda, 'Na! Ddim eto!'

PROSPERO: Nawr
Yw'r amser. Rhaid i ti wrando'n ofalus.
Barod? Wyt ti'n cofio cyfnod cyn
I ni fyw gyda'n gilydd yma? Na. Go brin,
Doeddet ti ddim eto'n dair.

MIRANDA:                    Rwy'n cofio.

PROSPERO: Wyt ti'n cofio tŷ neu berson? Beth
Yw'r ddelwedd sydd gen ti'n ddwfn yn dy gof?

MIRANDA: Mae'n bell, fel breuddwyd, 'dwi ddim yn siŵr
Onid oedd pedair neu bump o forynion
A ofalai amdanaf i?

PROSPERO: A mwy. Ddeuddeng mlynedd yn ôl fe ddeuthum
Yma, ddeuddeg mlynedd yn ôl, dy dad
Oedd Dug Milano, a chanddo rym.

MIRANDA:                    Onid ti
Yw 'nhad?

PROSPERO: Yr oedd dy fam yn wraig rinweddol, taerai

Mai ti oedd fy merch a Dug Milano, fi,
Oedd dy dad.

MIRANDA: O'r nefoedd wen! Ai anffawd
Oedd? – y daethom yma? – a gawson ni gam?
Neu oedd o'n fendith?

PROSPERO:          Y ddau, y ddau.
Alltudiwyd ni oherwydd chwarae budr
Ond helpodd gras ni yma.

MIRANDA:           Rwy'n teimlo'n drist
Wrth feddwl am y gofid berais it,
A minnau'n cofio dim. Dos yn dy flaen.

PROSPERO: Fy mrawd, dy ewythr di, Antonio –
Sylwa di, cofia, bod un sy'n frawd
Yn gallu bradychu! – 'r un a garwn fwyaf
Ar dy ôl di, fe roddais iddo ofal
Fy stad i gyd, ond roedd hi'n berffaith glir
Mai Prospero oedd i fod yn Ddug o hyd
Tra 'mod i'n enw blaenllaw ymhlith y
Celfyddydau, ysgolor heb ei ail.
Rhain aeth â'm bryd. Gosodais y llywodraeth
Ar 'sgwyddau fy mrawd, a minnau'n gaeth
Mewn materion cyfrin. Ewythr twyllodrus,
Wyt ti'n clywed?

MIRANDA:       Gwrando'n astud.

PROSPERO:             I ti gael deall,
Fe anwybyddais i bob busnes bydol
Er mwyn fy astudiaethau, gwella'r meddwl,
A mi'n ymddiried yn fy mrawd celwyddog.
Trodd ei natur yn gas. A fi fel rhiant
Yn esgor ar ei gelwydd. Nid yn unig
Fy nghyfoeth oedd yn ei afael, daeth y cnaf,
Wrth arfer fy awdurdod, i lwyr anghofio
Nad efo oedd y Dug go iawn, ac yn ei feddwl
Doedd dim gwahaniaeth rhwng y rôl a'r ffaith
Ac ef oedd Dug Milano mewn gwirionedd.
Llyfrgell oedd fy nheyrnas i. A wyt
Ti'n dilyn?

MIRANDA: Fel person byddar sydd yn clywed
  Am y tro cyntaf.
PROSPERO:      Nawr at y sefyllfa.
  Fy ngelyn i yw Brenin Napoli.
  Aeth fy mrawd a chynnig, yn lle talu trethi,
  Y gyrrai mi a'm teulu allan o'r deyrnas,
  Gwasanaethu dinas Milano – a byddai ef
  Yn Ddug yn fy lle. At y pwrpas hwnnw
  Cododd fyddin fradwrus. Rhyw ganol nos,
  Agorodd Antonio ddrysau dinas Milano
  Ac yn y tywyllwch fe alltudiwyd fi
  A thithau, 'run fach, yn crio.
MIRANDA:          O'r trugaredd!
  Gan fod fy nghrio o'r blaen yn angof,
  Fe wylaf eto nawr: mae'r awgrym
  Yn ddigon i drochi'm llygaid.
PROSPERO:       'Sdim llawer rhagor
  I'w adrodd ond, i ti gael deall beth
  Sy'n digwydd nawr, mae'n rhaid rhoi hanes
  Yr hyn ddigwyddodd.
MIRANDA:        Pam na laddwyd ni
  Yr amser hwnnw?
PROSPERO:     Da ti am ofyn, ferch:
  Mae'r cwestiwn yn codi o'r stori. Feiddien nhw ddim,
  Fy nghalon, gan fod y bobl yn fy ngharu,
  Na chwaith gosod marc mor waedlyd ar
  Y busnes; yn hytrach cuddiasant eu bwriadau
  Budr â lliwiau tecach. Yn fyr, gorfodwyd
  Ni i fynd ar long a'n cludo rai
  Filltiroedd allan; yno paratowyd cwch,
  Rhyw gasgen bwdr heb rig nag offer, hwyl
  Na mast; roedd llygod Ffrengig, hyd yn oed,
  Yn reddfol wedi ffoi; yn y fan a'r lle
  Fe'n lansiwyd ni i lefain i'r môr
  A ruai atom; i ochneidio ar
  Y gwynt tosturiol a ddychwelai'n ôl

Ein dolefain ni, ein camu ni'n gariadus.

MIRANDA: Fe fûm, mae'n rhaid, yn ofid it bryd hynny!

PROSPERO: Na, angel a achubodd fi. Gwenaist
Arnaf gyda dewrder ddaeth o'r nef.
Addurnais i y môr â dafnau hallt,
A griddfan dan fy maich; dy wên a barodd
I mi fynnu stumogi, dod drwy'r cyfan
A'r canlyniadau.

MIRANDA: Sut gyrhaeddon ni y lan?

PROSPERO:                               Rhagluniaeth nef.
Roedd gennym ni ychydig fwyd a dŵr
O achos cariad uchelwr nobl o Napoli
Tuag atom, Gonzalo, a apwyntiwyd
I gyflawni'r weithred, ac fe roddodd i ni
Ddillad coeth, nwyddau, cyfarpar, anghenion,
Fu'n gymorth mawr i ni o'i foneddigrwydd.
Gan wybod cymaint fy nghariad at fy llyfrau,
Dygodd o'm llyfrgell y cyfrolau hynny
A brisiaf yn uwch na'm teyrnas.

MIRANDA:                               Hoffwn weld
Y gwron rywbryd!

PROSPERO:          Nawr rwy'n codi:
Eistedd a chlywed terfyn ein tristwch môr.
Cyrhaeddom yr ynys hon: ac yma
Mi rydw i, dy ysgolfeistr, wedi
Gwneud iti elwa mwy na thywysogesau
Â'u horiau gwag, diwtoriaid llai gofalus.

MIRANDA: Diolch i'r nef amdano! A nawr, os gwelwch
Yn dda, syr, gan ei fod yn pwyso ar
Fy meddwl, eich rheswm am godi storm y môr?

PROSPERO: Fe gei di wybod hyn. Trwy ddamwain ryfedd
Daeth Ffawd haelionus (f'annwyl gymar nawr)
Â'm gelynion at y lan; a thrwy rag-weld
Gwn fod fy anterth yn derbyn bendith seren
Ffafriol dros ben, ac os na fentraf ar
Ddylanwad hon, a'i golli, bydd fy ffortiwn

Yn gwywo am byth. Digon o gwestiynau:
Mae arnat eisiau cysgu, ildia iddo,
Paid â'i ymladd. Nid oes gennyt ddewis.

*(Mae MIRANDA yn cysgu)*

Tyrd fy ngwas i, tyrd. Rwy'n barod nawr.
Dynesa, fy Ariel, tyrd.

*(Daw ARIEL i mewn)*

ARIEL: Henffych well, fy meistr! Henffych, syr. Rwy'n dod
I'th wasanaethu; i hedfan, nofio, plymio'r
Tân, marchogaeth y cymylau gwisgi,
Mynna orchymyn Ariel a'i lu
I gyflawni dy dasg.

PROSPERO: Ysbryd, a berfformiaist
Y storm yn fanwl gywir fel y dwedais?

ARIEL: Do, yn union.
Byrddais long y brenin, nawr yn y blaen,
Nawr yn y wasg, y dec, ac, ym mhob caban,
Fflamiais ryfeddod. Ar brydiau ymwahanais,
A llosgi mewn llawer man – ar ben y mast,
Ar freichiau'r trawslath, ar y bolsbryd
Ymwahanaf, yna fflamio 'nghyd.
Ac nid oedd mellt Iau, sy'n rhedwyr ar y blaen
I glap ofnadwy ei daranau'n ddigon chwim
I dwyllo'r llygad; roedd hi fel petai
Neifion nerthol yn ymosod ar
Ei ru swlffwraidd ac yn peri i'w donnau
Eofn grynu, ie'n siglo'i bicell driphen.

PROSPERO: Fy ysbryd dewr!
Pwy oedd mor driw, mor ffyddlon na siglodd y stŵr
Mo'i reswm?

ARIEL: Nid oedd un enaid glân
Na theimlodd dwymyn y gwallgof
Afreswm. Plymiodd pawb, ar wahân i'r morwyr,
I ferw'r môr, gadael y llong a roddais
Ar dân a mi fy hun a mab y Brenin,
Fferdinand, a'i wallt fel brwyn, oedd y cyntaf

I neidio i fyny gan ddatgan: 'Mae uffern yn wag,
A'r diafoliaid yma!'
PROSPERO:        'Da fy ysbryd!'
Oedd hyn ger y lan?
ARIEL:          Yn agos, Feistr.
PROSPERO: Ac ydyn nhw'n ddiogel?
ARIEL:                Ydyn, pob copa walltog;
Heb frycheuyn a'r dillad a'u cynhalient
Yn lanach nag o'r blaen; fel y gorchmynnaist.
Gwasgarais nhw yn griwiau dros yr ynys.
Glaniais fab y Brenin ar ei ben ei hun;
A'i adael yn ochneidio ar yr awel
Mewn cornel od o'r ynys ac yn eistedd
Â'i freichiau'n gwlwm trist, fel hyn.
PROSPERO:           A llong
Y Brenin? A'r morwyr? Beth wnest ti wedyn
Gyda gweddill y llynges?
ARIEL:           Mewn harbwr clyd
Mae llong y Brenin; yn yr hafan ddofn
Lle galwaist fi un canol nos i 'mofyn
Gwlith o'r Bermudas stormus o hyd; mae'n gudd
Fan yna, ac fe swynais i y morwyr
Wedi'u llafur i gysgu'n drwm dan ddec.
Ac am y llongau a wasgerais, daethant
At ei gilydd eto ac, yn fintai drist
Ar Fôr y Canoldir, maent wedi troi yn ôl
Tuag adre, oll yn tybio iddynt weld
Ddryllio llong y Brenin a'i Fawrhydi'n
Trengi.
PROSPERO: Ariel, fe gyflawnaist ti
Fy siars yn ôl y gofyn: ond mae mwy
O waith. Pa awr yw hi?
ARIEL:          Mae wedi canol
Dydd.
PROSPERO: O leiaf dau. Rhwng nawr a chwech
Rhaid i ni dreulio'r amser yn broffidiol.

ARIEL: Oes mwy o waith? Os wyt ti'n fy llwytho
    Rwy'n dy atgoffa dithau o'th addewid
    I mi na chedwaist eto.
PROSPERO:        Beth? Ti'n pwdu?
    Pa hawl sydd gennyt ti?
ARIEL:           Fy rhyddid i.
PROSPERO: Cyn gorffen d'amser? Digon!
ARIEL:                  Rwy'n erfyn,
    Cofia i mi'th wasanaethu'n deilwng
    Heb ddweud dim celwydd, na chyflawni gwallau,
    Heb ddrwgdeimlad a heb gwyno dim:
    Addewaist ti fy ngollwng ar ôl blwyddyn.
PROSPERO: Anghofiaist ti beth oedd dy artaith
    Cyn i mi dy ryddhau di?
ARIEL:         Naddo.
PROSPERO: Mi wnest! Mae'n ormod i ti droedio llaid
    Y dyfnderoedd hallt, rhedeg ar awel fain
    Y gogledd, cyflawni tasgau yng ngwythiennau'r
    Ddaear wedi'u crasu'n rew.
ARIEL:        Nac yw, syr.
PROSPERO: Celwyddgi! Greadur afiach! A anghofiaist ti
    Am Sycorax y wrach wenwynig, aeth yn grwm
    Dan oedran a chenfigen? Anghofiaist ti hi?
ARIEL: Naddo.
PROSPERO:  Do. Ble ganed hi? Dwêd!
ARIEL: Syr, yn Alger.
PROSPERO:        O, felly'n wir? A oes
    Yn rhaid i mi ailadrodd it bob mis
    Beth oeddet ti, rhag ofn i ti anghofio?
    Alltudiwyd Sycorax y wrach ddamniedig
    Am ddrwgweithredoedd lu a hudoliaethau
    Sy'n rhy enbyd fyth i haeddu'u clywed,
    Fel y gwyddi'n iawn, o Alger: gwnaeth
    Un peth na fynnent ladd. Ai gwir yw hyn?
ARIEL: Syr, mae'n wir.

PROSPERO: Dygwyd y wrach a oedd yn disgwyl plentyn
    A'i gadael yma. Ti, fy nghaethwas –
    Fel soniaist ti – bryd hynny oedd ei gwas;
    A, chan dy fod ti'n un rhy ddelicet dy ysbryd
    I dderbyn ei gorchmynion priddlyd, atgas hi,
    Gwrthodaist ei gofynion a chyfyngodd di,
    Trwy gymorth ei gweiniaid cryfach, yn ei llid
    Na ellid ei liniaru, i ganghennau pin
    A holltwyd; yn yr agen hon carcharwyd
    Di yn boenus, yno buost ti
    Am ddwsin o flynyddoedd; bu farw hi
    A'th adael yno. Ar wahân i'r mab
    A fwrodd yma – cenau brych o groth
    Y wrach – ni chafodd yr ynys fraint
    Ffurf dynol.
ARIEL:        Ie, Caliban ei mab.
PROSPERO: Un twp ydi o, y Caliban sy'n was
    I mi. Ti wyddost yn well na neb mor llosg
    Dy artaith pan ddeuthum a'th ddarganfod di;
    Perai dy riddfan i fleiddiaid udo; treiddiai
    I galon eirth cynddeiriog. Gwewyr oedd
    I'r damniedig ac ni fedrai Sycorax
    Ei ddatod wedyn: pan gyrhaeddais i
    A'th glywed di, fy nysg a barodd agor
    Y binwydden a'th ryddhau.
ARIEL:           Diolch, meistr.
PROSPERO:            Ac os clywaf fwy o gwyno, fe
    Agoraf dderwen ac fe hoeliaf di
    I'w hymysgaroedd cnotiog a thi gei
    Sgrechian am ddeg gaeaf.
ARIEL:          Pardwn, meistr:
    Rwy'n addo ufuddhau gorchmynion, bod
    Yn ysbryd addfwyn.
PROSPERO:        Gwna di, ac ymhen deuddydd
    Byddi'n rhydd.
ARIEL:      Dyna fy meistr hael!

Beth wnaf i? Dywed beth y mynni! Beth?
PROSPERO: Rhithia dy hun fel nymff y môr a bydd
Yn anweledig i bawb ond ti a fi.
Dos oddi yma nawr!

(*Â ARIEL allan*)

Deffra, cariad,
Fe gysgaist ti yn dda; nawr deffra!
MIRANDA: Fe wnaeth dy stori ryfedd i mi gysgu'n
Drwm.
PROSPERO: Styria dy hun a thyrd. Fe awn i weld
Fy nghaethwas, Caliban, er na rydd o
Groeso caredig i ni fyth.
MIRANDA:                   Dihiryn
Ydi o, syr. Mae'n gas gen i ei olwg.
PROSPERO:                            Fel mae,
'Fedrwn ni mo'i hepgor: fe sy'n cynnau'n
Tân, casglu'n coed, a'n gwasanaethu ni
Mewn ffyrdd sy'n fuddiol. Helô! Gaethwas!
Caliban! Di, bridd, llefara!

(*CALIBAN oddi mewn*)

CALIBAN: Mae digon o bren!
PROSPERO: Tyrd allan nawr! Mae gen i fwy o waith;
Tyrd o 'na'r crwban! Nawr!

(*Daw ARIEL i mewn fel nymff môr*)

Rith ardderchog! Fy Ariel chwim,
Gair yn dy glust.
ARIEL:          F'arglwydd, gwnaf.
PROSPERO: Di was gwenwynig a genhedlwyd gan y diawl
A'th fam ddrygionus, tyrd allan nawr!

(*Daw CALIBAN i mewn*)

CALIBAN: Disgynned gwlith mor sur â niwl o'r gors
A gasglai Mam ar bluen afiach brân
Ar bennau chi eich dau! A llosged gwynt
O'r de-orllewin chi'n bothelli!
PROSPERO:                    Am hyn
Rwy'n addo, cei di glymau chwithig heno

24

Pwythau a ddwg dy ana'l yn dy ystlys,
A chaiff ellyllon ddawnsio ar dy groen
Drwy eangderau'r nos, a chei dy weithio
Yn friwiau i gyd fel diliau mêl,
Pob pigiad yn fwy poeth na nodwydd losg
Y gwenyn a'u gwnaethant.

CALIBAN:                          Rwy'n cael fy nghinio nawr.
Fy ynys i yw hon, trwy Sycorax,
Fy mam. Fe'i dygaist oddi arnaf. I ddechrau
Rhoist i mi fwythau, porthaist fi
 sudd ffrwythau; dysgaist fi i enwi'r golau mwy
A'r golau llai, y ddau sy'n llosgi
Ddydd a nos: bryd hynny ceraist fi,
Dangosais i ti holl nodweddion da
Yr ynys: ffynhonnau, pyllau hallt, y mannau
Diffaith ynghyd â'r llefydd ffrwythlon hefyd.
Melltith arnaf i am wneud 'fath beth.
Disgynned holl swynau Sycorax, llyffantod
Ar eich pen, fi yw eich unig ddeiliad, a fu
Yn frenin arnaf i fy hun: fe'm cedwi
Mewn twlc yn erbyn craig sydd ar wahân
I'r ynys.

PROSPERO: Y cnaf celwyddog,
Sy'n deall chwip, nid cymwynasau,
Cest ofal dynol gennyf, di fudreddi,
A llety yn fy nghell, nes i ti fentro
Ar anrhydedd fy merch.

CALIBAN: O ho! O ho! Fe rwystraist fi!
Fel arall, byddai'r ynys hon yn drwch
O boblogaeth Caliban!

MIRANDA:                    Gaethwas ffiaidd
Sy'n gwrthod derbyn pob dylanwad da
Ond medru pob drygioni! Pitïais wrthyt,
Llafurio'n hir i wneud it siarad, dysgu
Hyn a'r llall i ti bob awr: pan, anwar,
Wyddost ti ddim synnwyr ond parablaist

Fel rhyw anifail, rhoddais it bwrpasau
A geiriau i'w hegluro. Do, fe ddysgaist
Ond mae rhywbeth aflan yn dy hil
Na fedr rhai â natur dda ei oddef;
A dyna pam y'th caethiwyd di'n haeddiannol
I'r graig, ti a haeddaist fwy na charchar.

CALIBAN: Fe ddysgaist i mi iaith; a'r fantais yw y gwn
Sut i felltithio. Cipied y pla coch di
Am ddysgu imi'th iaith.

PROSPERO: Dos, epil gwrach!
Cyrcha danwydd i ni, brysia – byddai'n
Well i ti wneud dy ddyletswydd. Beth?
Wyt ti'n gwgu, malais? Os esgeulisi di
Neu nogio wrth gyflawni un o'm gorchmynion
Fe'th arteithiaf di â chlymau chwithig,
Gwnaf i ti ruo nes i'r creaduriaid
Grynu o'th glywed.

CALIBAN: Na, syr, plîs.
(*I'r naill ochr*) Rhaid ufuddhau: y mae ei ddysg
Mor gryf arferai reoli duw fy mam,
Setebos, a'i droi yn daeog.

PROSPERO: Dos o 'ma'r caethwas.
(*Â CALIBAN allan. Daw FFERDINAND ac ARIEL i mewn
yn anweladwy, yn chwarae a chanu*)

ARIEL: (*Yn canu*)
Tyrd i droedio'r tywod aur,
Gafael dwylo.
Moesymgrymu a chusanu
Fel myn y tonnau;
Troedio'n ddestlus yma a thraw,
Ac ysbrydion mwyn a ddaw
I ddwyn y byrdwn.
(*Byrdwn ar wasgar*) Bow-wow.

ARIEL: Mae'r cŵn yn cyfarth.
(*Byrdwn ar wasgar*) Bow-wow.

ARIEL: Clywch, clywch!

Cân y ceiliog balch.

(*Cri* – *Byrdwn ar wasgar*) Coc-a-dwdl-dŵ.

FFERDINAND: O ble daw'r gerddoriaeth hon? O'r aer? O'r
pridd?

Mae'n tewi. Rwy'n siŵr ei bod yn rhan o osgordd
Duw o'r ynys. Tra'n eistedd ar ryw lethr
Yn wylo eto am longddrylliad y Brenin,
Fy nhad, treiglodd gerddoriaeth heibiof ar y
Dyfroedd, gan leddfu eu llid a'm galar i
Gyda'i alaw hyfryd. Oddi yno
Dilynais hon (neu'n hytrach, denodd fi)
Ond tawodd. Na, mae'n cychwyn eto.

ARIEL: (*Yn canu*)
Yn y dyfnder mae dy dad,
Cwrel yw ei esgyrn o;
Dyna berl lle bu ei lygad,
Mae pob elfen sydd yn gwywo
Yn trawsnewid fel y môr
Nid trengi ond troi'n drysor.
Canu cnul mae môr-forynion:
*Cytgan:* Ding-dong.
Maen nhw'n canu, wyt ti'n clywed? Ding-dong!

FFERDINAND: Mae'r gân yn cofio 'nhad, a foddodd.
Nid busnes dynol ydi hyn, nac alaw
A berthyn i'r ddaear: mae'n seinio uwch fy mhen.

PROSPERO: Cwyd lenni lês dy lygaid, dywed beth weli
Di fan draw.

MIRANDA:    Beth ydi o? Ysbryd? Nefoedd!
Mae'n edrych oddi amgylch. Ar fy ngwir,
Mae'n cario ffurf sy'n braf. Ond ysbryd ydi o.

PROSPERO: Nage, ferch; mae'n bwyta a chysgu, mae ganddo'r
Un synhwyrau â ni. Fe welaist ti hwn
Yn y llongddrylliad; ac oni bai ei fod
Yn galaru (cancr harddwch) gallet ei weld
Fel person da: fe gollodd ei gyfeillion,
Mae'n chwilio amdanynt.

MIRANDA:                    Fe allwn i ei alw'n
Dduw; ni welais mewn natur
Ddim mor deg.
PROSPERO: (*I'r naill ochr*) Rwy'n gweld, mae'n dechrau
                                                    digwydd
Fel myn fy enaid. Ysbryd, ardderchog ysbryd,
Ti gei dy ryddid 'mhen deuddydd am hyn.
FFERDINAND:                         Duwies
Yr alawon yw hon, mae'n siŵr! Caniatâ
Fy ngweddi – aros ar yr ynys hon;
A rho arweiniad sut y dylwn ymddwyn
Yma. Ond fy mhrif ddeisyfiad: O ryfeddod!
Dywed ai morwyn wyt ai peidio?
MIRANDA:                    Dim
Rhyfeddod, syr; ond yn sicr, morwyn.
FFERDINAND: Nefoedd fawr! Fy iaith! Fi yw'r siaradwr
Gorau, ond i mi fod ym mhle y siaredir hi
Yn rhugl.
PROSPERO: Y gorau? Sut byddai arnat
Pe clywai Brenin Napoli di yn traethu?
FFERDINAND: Yr union beth, a dyna pam rwy'n synnu
Clywed am Frenin Napoli. Mae'n clywed,
Ydi, ond oherwydd hyn, mae'n rhaid
I mi wylo: fi yw Brenin Napoli,
Gwelodd fy llygaid, fu heb drai,
Ddryllio fy nhad, y Brenin.
MIRANDA:                    A'n gwaredo!
FFERDINAND: Ie'n wir, a'i holl arglwyddi, yn
Eu plith roedd Dug Milano.
PROSPERO: (*I'r naill ochr*)     Dug Milano!
Ar yr olwg gyntaf y mae'r ddau'n
Cyfnewid llygaid. Ariel dyner
Fe gei dy ryddid. (*Wrth FFERDINAND*) Syr, fe hoffwn air.
Rwy'n amau'ch bod chi wedi gwneud rhyw gam...
MIRANDA: Pam mae fy nhad mor flin? Hwn yw'r trydydd
Dyn i mi weld erioed; y cyntaf i mi

Ochneidio amdano: boed i 'nhad
Gymryd trugaredd!
FFERDINAND:   Os wyt ti'n wyryf,
Heb garu rhywun arall, fe gei di fod
Yn Frenhines Napoli.
PROSPERO: Syr, peth arall... (*I'r naill ochr*)
Mae'r naill yn gaeth i'r llall: fe anesmwythaf
I y busnes chwim, rhag ofn i'r ennill
Hawdd ddibrisio'r wobr. (*Wrth FFERDINAND*) Un gair
pellach,
Gwranda nawr. Rwyt ti yn trawsfeddiannu
Enw rhywun arall; doist i'r ynys
Fel ysbïwr, er mwyn ei dwyn oddi arnaf
I, ei harglwydd.
FFERDINAND: Naddo!
MIRANDA: Ni all drygioni fyw yn y fath deml:
Pe byddai ysbryd drwg yn byw mewn tŷ
Mor hardd, fe fyddai'r teg yn cyd–letya.
PROSPERO: Paid achub ei gam. Mae'n fradwr, tyrd.
Fe rof gadwyni ar dy wddf a'th draed:
Cei yfed dŵr y môr; a bwyta cregyn
Gleision y dŵr croyw, gwreiddiau crin
A phlisgyn mes. Dilyn fi.
FFERDINAND:   Na,
Rwy'n dewis gwrthod y gwahoddiad
Tra medraf wneud.
   (*Mae'n tynnu ei gleddyf ac yn cael ei hudo rhag symud*)
MIRANDA:   Dad annwyl,
Paid cymryd yn rhy gyflym yn ei erbyn,
Mae'n uchelwr ac yn ddewr.
PROSPERO:   Beth? Wyt ti
Am fy rheoli i? Gwainia dy gleddyf,
Fradwr, fe wnaethost sioe o daro ond
Heb feiddio, rwyt ti'n euog, tyrd ymlaen,
Gallaf dy ddiarfogi di â ffon
A pheri syrthio dy arf.

MIRANDA: 'Nhad, rwy'n erfyn!

PROSPERO: Paid hongian ar fy nillad.

MIRANDA: 'Nhad,
Trugaredd! Bydda i yn ernes drosto.

PROSPERO: Tawelwch! Un gair mwy fe gei di gerydd,
A byddaf i'n dy gasáu. Be wnei di, dwêd?
Dadlau achos twyllwr? Taw dy sôn,
Mi rwyt ti'n credu nad oes mwy fel hwn
A thithau heb weld ond fe a Chaliban: y ffŵl!
Caliban yw hwn ymhlith mwyafrif dynion
A'r rheiny'n angylion.

MIRANDA: Mae'n dilyn bod fy hoffter i
Yn wylaidd. Fedda' i ddim uchelgais pellach
I weld dyn gwell.

PROSPERO: Tyrd, ufuddha!
Y mae dy nerfau wedi colli nerth,
Yn wan fel baban eto.

FFERDINAND: Gwir y gair.
Mae f'ysbryd yn rhwym, fel pe bai mewn breuddwyd.
Nid yw colli fy nhad, dryllio fy ffrindiau,
Na bygythion hwn (sy'n fy meistroli)
Yn ddim i mi os medraf, o'm carchar, weld
Y forwyn hon. Rhwydd hynt i bawb ddefnyddio'r
Byd i gyd; mae gen i ofod ddigon
Mewn carchar fel hwn.

PROSPERO: (*I'r naill ochr*) Mae'n gweithio.
(*Wrth FFERDINAND*) Tyrd ymlaen.
Ariel hardd, fe wnest ti'n dda. – Dilyn fi;
Gwranda beth mwy cei wneud i mi.

MIRANDA: (*Wrth FFERDINAND*)
Cym' gysur;
Mae natur fy nhad, syr, dipyn brafiach
Na ddengys ei eiriau. Nid fel hyn
Y mae fel arfer.

PROSPERO: (*Wrth ARIEL*)
Ti gei fod mor rhydd

Ag awel y mynydd, ond i ti gyflawni
Pob rhan o'm gorchmynion.

ARIEL: Gwnaf, bob sill.

PROSPERO: (*Wrth FFERDINAND*)
Tyrd, dilyn. (*Wrth MIRANDA*) Paid â siarad drosto ef.

# ACT II

## GOLYGFA I

*(Daw ALONSO, SEBASIAN, ANTONIO, GONZALO, ADRIAN, FFRANCISCO ac eraill i mewn.)*

GONZALO: Rwy'n erfyn arnoch, syr, cymerwch gysur,
  Mae gennych chi (a ninnau i gyd) gryn achos
  Diolch. Arbedwyd in fwy nag y collasom.
  Mae'n gofid yn gyffredin – caiff ei brofi
  Bob dydd gan wraig y morwr, y masnachwr
  A meistr y masnachwr. Ond am wyrth
  Ein cadwedigaeth, ychydig iawn mewn miliwn
  Gadd ein profiad ni. Cloriannwch, felly'n ddoeth
  Ein cysur, syr, a'n galar.

ANTONIO:                    O bydd dawel.

SEBASTIAN: *(Wrth ANTONIO)*
  Mae hwn yn derbyn cysur fel uwd oer.

ALONSO: *(Wrth SEBASTIAN)*
  Y mae'r cysurwr yma'n benderfynol.

SEBASTIAN: Edrych, mae'n weindio wats ei ffraethineb; fe fydd
  e'n taro yn y man.

GONZALO: Syr, –

SEBSTIAN: Un. Cyfra.

GONZALO: Pan fo dyn yn derbyn pob gofid ddaw i'w ran –

SEBASTIAN: Doler!

GONZALO: Dolur, yn wir, ddaw i'w ran, roeddet ti'n fwy cywir
  nag a fwriedaist.

SEBASTIAN: Ac fe ddeellaist fwy o wir nag a fwriedais i.

GONZALO: Felly, fy argl –

ANTONIO: Dduw, mae hwn yn afrad gyda'i dafod!

ALONSO: Paid, rwy'n erfyn.

GONZALO: Wel, rwy' wedi gorffen – ac eto, –

SEBASTIAN: Mae'n dal i siarad.

ANTONIO: Fe neu Adrian, pa un – am fet sylweddol – fydd y
   cyntaf i glochdar?

SEBASTIAN: Yr hen geiliog.

ANTONIO: Y cyw.

SEBASTIAN: Iawn. Am faint?

ANTONIO: Chwerthiniad.

SEBASTIAN: Iawn!

ADRIAN: Er bod yr ynys hon i'w gweld yn ddiffaith –

ANTONIO: Ha, ha, ha.

SEBASTIAN: Dyna dy dâl.

ADRIAN: Yn anghyfannedd, ac anhygyrch, bron –

SEBASTIAN: Eto, –

ADRIAN: Eto, –

ANTONIO: Ni fedr beidio.

ADRIAN: Mae tymer hon yn gywrain, tyner, delicet.

ANTONIO: Ydi, mae Dirwest yn lodes ddelicet.

SEBASTIAN: Ydi, a chiwt, yn ôl ei ddarlith.

ADRIAN: Mae'r awyr yn anadlu arnom yma'n dyner.

SEBASTIAN: Fel pe bai ganddi ysgyfaint, a'r rheiny'n bwdr.

ANTONIO: Neu wedi ei pherarogli gan ryw domen.

GONZALO: Yma mae popeth sy'n fuddiol mewn bywyd.

ANTONIO: Gwir, serch modd i fyw.

SEBASTIAN: Does dim o hynny, neu ychydig iawn.

GONZALO: Mor irlas a hoenus yw golwg y borfa. Mor wyrdd!

ANTONIO: Yn wir, mae'r tir yn gras.

SEBASTIAN: A llygedyn o wyrdd!

ANTONIO: Ychydig mae hwn yn ei fethu.

SEBASTIAN: Serch ei fod o'n camgymryd y gwir yn gyfan gwbl.

GONZALO: Ond beth sy'n brin, beth sydd bron yn
   anghredadwy, –

SEBASTIAN: Fel y mae llawer o bethau prin go iawn.

GONZALO: Mae ein dillad, a drochwyd yn y môr, yn cadw'u glendid a'u lliw, fel petaent wedi eu lliwio o'r newydd, yn hytrach na'u staenio â dwr hallt.

ANTONIO: Pe medrai un o'i bocedi siarad, oni fyddai'n ei alw'n gelwyddgi?

SEBASTIAN: Byddai, tra'n pocedu ei adroddiad ef ar gam.

GONZALO: Rwy'n tybio bod ein dillad ni mor lân â'r foment y gwisgon ni nhw gynta yn Affrica, ar achlysur priodas Claribel, merch deg ein Brenin ni, i Frenin Tiwnis.

SEBASTIAN: Priodas dda, ac ry'n ni ar ein hennill wrth ddychwelyd.

ADRIAN: Ni chafodd Tiwnis erioed o'r blaen fendith y fath esiampl o frenhines.

GONZALO: Nid ers amser Dido'r weddw.

ANTONIO: Gweddw? Damnia'r weddw! Sut cododd y weddw? Y weddw Dido!

SEBASTIAN: Beth pe bai e wedi dweud, 'Y gŵr gweddw Aeneas' hefyd? O'r Mawredd, rwyt ti'n ei dderbyn!

ADRIAN: Y weddw Dido, 'ddwedest di? Gad i mi feddwl. Roedd hi yng Ngharthago, nid yn Nhiwnis.

GONZALO: Syr, Tiwnis oedd Carthago.

ADRIAN: Carthago?

GONZALO: Carthago, mae'n wir.

ANTONIO: Mae ei air yn well na'r delyn wyrthiol.

SEBASTIAN: Fe gododd ef y wal a'r tai hefyd.

ANTONIO: Pa gamp amhosib a gyflawna nesaf?

SEBASTIAN: Beth am iddo gario'r ynys hon adref yn ei boced a'i rhoi i'w fab fel afal?

ANTONIO: A hau'r cerrig yn y môr, i greu ynysoedd newydd!

GONZALO: Rwy'–

ANTONIO: Yn y man –

GONZALO: Syr, dweud oeddem bod ein dillad i'w gweld mor ffres â phan oeddem yn Nhiwnis ym mhriodas eich merch, sydd nawr yn Frenhines.

ANTONIO: A'r un orau a fu yno erioed.

SEBASTIAN: Ac eithrio, wrth gwrs, y weddw Dido.

ANTONIO: O, y weddw Dido? Ie'r weddw Dido.

GONZALO: Onid yw, syr, fy ngwisg mor ffres â'r diwrnod
cyntaf y'i gwisgais? Hynny yw, mewn ffordd.

ANTONIO: 'Mewn ffordd' – pysgota da.

GONZALO: Pan wisgais hi ym mhriodas eich merch.

ALONSO: Rwyt ti'n gwthio'r geiriau i'm clustiau, yn erbyn
Stumog fy synnwyr. Byddai'n well gen i
Pe na bawn wedi rhoi fy merch i'w phriodi,
Gan fod gadael y fan wedi peri colli'r mab –
A hi mor bell o'r Eidal nad wyf yn disgwyl
Cael ei gweld hi byth eto. O f'etifedd
I Napoli a Milano, pa bysgodyn
Hynod fwydodd arnat?

FFRANSISCO:                    Mae'n fyw, efallai.
Fe'i gwelais ef yn gwthio'r tonnau oddi tano,
Marchogaeth ar eu cefnau. Troediai'r dŵr,
Ymaflyd yn eu gelyniaeth, defnyddio'i fron
I droi yr ymchwydd i'r naill ochor. Cadwodd
Ei ben goruwch y tonnau dig
A rhwyfo'i hun â'i freichiau cryf, mewn strôc
Gyhyrog tua'r lan a blygai, fel petai,
I lawr i'w achub. Heb amheuaeth, daeth
I'r lan yn fyw.

ALONSO:            Na, na, fe aeth.

SEBASTIAN: Eich bai eich hunan, syr, yw'r golled hon,
Chi ddewisodd amddifadu Ewrop
O'ch merch a'i cholli hi i Affricanwr,
O leia fe'i halltudiwyd hi o'ch golwg,
Er i chi wylo o'r herwydd.

ALONSO:                    Bydd yn dawel.

SEBASTIAN: Penliniasom, ymbil i chi beidio,
Gan gynnwys y forwyn lân ei hun, yn pwyso
Ufudd-dod yn erbyn gwrthod, i weld y trymaf.
Collasom eich mab am byth, fe ofnaf. Mae mwy
O weddwon ym Milano nawr, a Napoli,
Nag o ddynion a ddaw i'w cysuro. Arnoch chi mae'r bai.

ALONSO: A fi sy'n talu ddrytaf!

GONZALO:                          Arglwydd Sebastian,
   Gwir yw'r gair, os brysiog ac angharedig.
   Eli sydd angen rhwbio yn y briw,
   Nid halen.

SEBASTIAN: Wel, o'r gorau.

ANTONIO:                          Moddion cryf.

GONZALO: Mae'n stormus i ni oll, pan fyddwch chi, syr,
   Yn gymylog.

SEBASTIAN: Stormus?

ANTONIO:                          Tywyll iawn.

GONZALO: Fy arglwydd, pe bai'r ynys hon yn stad –

ANTONIO: Fe heuai ddanadl.

SEBASTIAN:                          Neu ddail tafol, neu falws.

GONZALO: Beth wnelwn i pe bawn yma'n frenin?

SEBASTIAN: Byw'n sobr, gan nad oes yma win.

GONZALO: Yn y gymanwlad hon, fe drefnwn bopeth
   Wyneb i waered; ni chaniatawn 'run fath
   O fasnach; na, nac enwi unrhyw ustus;
   Ni wyddid dim am ddysg; na chyfoeth, tlodi,
   Nac arfer gwasanaeth – dim; cytundeb, olyniaeth,
   Dim ffin, na pherth, na chae, na gwinllan. Na
   Gwaith metel, grawn, neu win, neu olew; dim
   Gwaith o gwbl, byddai'r dynion oll
   Yn segur, merched hefyd ond diniwed, pur,
   Heb frenhiniaeth.

SEBASTIAN:          Ac eto byddai'n frenin arno.

ANTONIO: Mae diwedd ei gymanwlad yn anghofio'r dechrau.

GONZALO: Fe rannai natur bopeth a gynhyrchai,
   Heb chwys na llafur; brad neu ddrwgweithredu,
   Cledd, gwayw, llafn, gwn neu unrhyw beiriant
   Ni fyddai angen arnaf; dygai natur
   Allan o'i hun bob cyfoeth a ffrwythlondeb
   I borthi fy mhobl ddiniwed.

SEBASTIAN: A phriodi ymhlith ei ddeiliaid?

ANTONIO: Dim, ddyn, diogiaid oll – puteiniaid a dihirod.

GONZALO: Fe lywodraethwn mewn modd mor berffaith,
Y byddai'n Oes Aur newydd.

SEBASTIAN: A gadwo ei Fawrhydi!

ANTONIO:                                        Hir oes, Gonzalo!

GONZALO: Ac – a ydych chi yn gwrando, syr? –

ALONSO: Os gwel'di – dim mwy.
Mae hwn yn siarad gwag i mi.

GONZALO: Yn wir, fe gredaf hynny, eich Mawrhydi, ac fe'i
gwnes i roi achlysur i'r bonheddwyr hyn, gan fod eu hysgyfaint
nhw mor sensitif ac mor heini na fedran nhw beidio â
chwerthin am ben dim byd.

ANTONIO: Arnoch chi yr oedden ni'n chwerthin.

GONZALO: Sydd, yn y math o bryfocio difyr yma'n ddim i chi,
fel y medrwch chi barhau i chwerthin am ddim byd o hyd.

ANTONIO: Fe laniodd o ergyd â'i gleddyf fanna!

SEBASTIAN: Â'r ochr fflat!

GONZALO: Rydych yn wŷr bonheddig, dewr. Fe godech y
lleuad allan o'i lle pe bai'n ddigyfnewid am bum wythnos.

(*Daw ARIEL i mewn, yn chwarae cerddoriaeth ddifrifol*)

SEBASTIAN: Gwnelwn, yn wir, a bwrw adar oddi ar eu clwydi.

ANTONIO: Na, fy arglwydd, peidiwch gwylltio.

GONZALO: Medraf eich sicrhau, ni fentrwn golli fy mhwyll
mor gyflym. A wnewch i mi chwerthin hyd at gwsg? Mi rydw
i'n teimlo'n drwm iawn.

ANTONIO: Cysgwch, ac fe glywch chi ni.

(*Mae pawb yn cysgu, ar wahân i ALONSO, SEBASTIAN ac
ANTONIO*)

ALONSO: Cysgu'n barod? Hoffwn pe tewai'r meddwl
Wrth i'r llygaid gau. Rwy'n cael fy mod
Yn teimlo'n gysglyd.

SEBASTIAN:                              Syr, derbyniwch chi'r
Gwahoddiad. Nid yn aml daw i ran
Galarwyr, ac mae'n gysur.

ANTONIO:                              Byddwn ni
Yn gwylio drosoch, Arglwydd, wrth i chi orffwys,
A'ch cadw'n ddiogel.

ALONSO:                    Diolch. Mor flinedig.
                    (*Mae ALONSO'n cysgu. Â ARIEL allan*)
SEBASTIAN: Dyna syrthni rhyfedd a'u meddiannodd!
ANTONIO: Y tywydd sy'n gyfrifol.
SEBASTIAN:                          Pam felly
   Na chysgom ni? Does arna i ddim awydd
   Cysgu o gwbl.
ANTONIO:        Na fi, rwy'n hollol effro.
   Fe syrthion nhw fel un, mewn cytundeb;
   Disgyn mewn ergyd taran. Beth pe bai,
   Sebastian annwyl? – O beth pe bai? – Dim mwy:
   Ac eto, tybiaf 'mod i'n canfod yn dy wyneb
   Beth ddylet fod. Y mae'r sefyllfa yn
   Dy yngan a'm dychymyg cryf yn gweld
   Coron yn disgyn ar dy ben.
SEBASTIAN:                          Beth?
   A wyt ti'n effro?
ANTONIO:        Wyt ti'n fy nghlywed?
SEBASTIAN:                               Ydw.
   Ond mae dy iaith yn gysglyd ac rwyt ti'n
   Dal i freuddwydio. Beth ddwedaist ti?
   Am orffwys rhyfedd, bod ynghwsg a'r llygaid
   Fyth ar agor – sefyll, siarad, symud
   Ac eto mewn trwmgwsg.
ANTONIO:                    Sebastian bendefig,
   Mae dy ffawd yn cysgu – na, yn marw;
   Rwyt effro ond dy lygaid ar gau.
SEBASTIAN:                               Rwyt ti
   Yn chwyrnu, ond mae 'na ystyr yn dy chwyrnu.
ANTONIO: Rwy'n fwy difrifol nag arfer. Dylet ti
   Fod hefyd, os wyt am fy neall, byddai'n
   Fodd i'th dreblu.
SEBASTIAN:        Dŵr llonydd ydw i.
ANTONIO: Fe ddysgaf i ti lifo.
SEBASTIAN:                    Gwna felly.
   Fy etifeddiaeth ydi bod ar drai.

ANTONIO:                    O,
      Yn ddirgel rwyt ti yn coleddu'r nod
      Tra'n ei wawdio, wrth ei ddadwisgo'n ei
      Ddilladu mwy. Bydd dynion sydd ar drai,
      Mae'n wir, yn llifo ger y gwaelod, oherwydd
      Ofn neu ddiogi.
SEBASTIAN:           Cer yn dy flaen, os gwnei di.
      Mae set dy lygaid a'th foch yn datgan dy fod
      Yn llafurio i esgor ar ryw fater sydd
      Yn boenus i ti'i fwrw.
ANTONIO:                Felly, syr,
      Mae'r arglwydd hwn sy'n wan ei gof – yr hwn
      A fydd yn angof llwyr pan y'i priddir –
      (Unig alwad hwn yw dwyn perswâd) –
      Mae hwn ar fin perswadio'r Brenin bod
      Ei fab heb ei foddi, peth mor amhosib
      Â phe bai hwn sy'n cysgu'n nofio.
SEBASTIAN:                          'Fedra
      I ddim gobeithio bod y mab heb foddi.
ANTONIO: Yn dy anobaith, dyna obaith mawr!
      Wele anobaith. Mewn ffordd arall mae
      Gobaith mor eofn fel na all uchelgais ei hun
      Gyrraedd yn uwch heb ei ddarganfod. Wnei
      Di gyfaddef i Fferdinand foddi?
SEBASTIAN:                        Do, fe wnaeth.
ANTONIO: Pwy, felly, yw etifedd Napoli?
SEBASTIAN: Claribel.
ANTONIO:             Brenhines Tiwnis; hi
      Sy'n byw pellterau'n hwy nag oes un dyn;
      Tu hwnt i lythyrau, oni bydd yr haul
      Yn bostmon iddi – mae hen ŵr y lloer
      Rhy araf – bydd angen eillio boch babanod
      Cyn iddo gyrraedd. Wrth deithio oddi wrth hon
      Môr-lyncwyd ni, ond achubwyd rhai, eu ffawd
      I berfformio'r act y bu'r hyn ddigwyddodd cynt
      Yn gyflwyniad iddi; y mae beth ddaw lan i ti
      A fi i'w gyflawni.

SEBASTIAN:       Pa rwtsh yw hyn? Sut ddwedaist ti?
  Mae'n wir, Brenhines Tiwnis yw fy nith;
  A hi yw etifedd Napoli; ond rhwng y ddwy
  Y mae cryn bellter.
ANTONIO:       Pellter y mae pob cyfudd
  Ohono'n galw, 'Sut fedr Claribel
  Ein dilyn yn ôl i Napoli? Aros yn Nhiwnis,
  Boed deffro Sebastian. Tybia mai tranc
  A'i cipiodd; ni fyddent ronyn gwaeth na nawr.
  Mae yna un a all reoli Napoli
  Cystal â hwn sy'n cysgu; ac arglwyddi
  A all barablu mor llawn a dibwys
  Â Gonzalo yma; fe allwn i hyfforddi
  Brân cyn ddyfned ei sgwrs. O na baet ti
  Yn meddwl 'run fath â mi! O dyma gwsg
  Am dy ddyrchafiad! A wyt ti yn fy nilyn?
SEBASTIAN: Rwy'n tybio fy mod.
ANTONIO:       A sut mae dy fodlonrwydd
  Yn effeithio ar dy ffawd?
SEBASTIAN:       Mi rydw i'n cofio
  I ti ddisodli Prospero, dy frawd.
ANTONIO:       Gwir:
  Yli, mae 'ngwisg yn gweddu'n well nag o'r blaen;
  Bryd hynny, cyfeillion oedd gweision fy mrawd;
  Nawr maen nhw'n fy ngwasanaethu i.
SEBASTIAN: Ond am dy gydwybod?
ANTONIO: Ie, syr; ond ble mae honno? Pe bai hi'n gorn
  Fe wisgwn sliper; ond 'theimla i ddim y duw
  Yn fy mron; pe bai 'na ugain cydwybod
  Rhyngof i a Milano, fe'u sugnwn fel fferins
  A'u toddi nhw'n feddal nes eu bod yn ddim
  Cyn iddynt fy mhoeni! Yma gorwedd dy frawd,
  Dim gwell na'r ddaear mae'n gorwedd arni. Pe bai
  E fel yr hyn mae'n debyg iddo nawr
  (Yn farw), yr hwn a fedrai gyda'r dur –
  Dair modfedd ufudd, – roi i'r gwely am byth

(Tra gwnei dithau fel hyn a rhoi yr hen
Dameidyn hwnnw, Syr Hirben, i gwsg
Tragwyddol, fel na all ein rhwystro ni) –
Ac am y gweddill, fe gymeran nhw yr awgrym
Fel cath yn llyfu llefrith; fe ddwedant faint
O'r gloch yw hi ar y cloc i'n siwtio ni.
SEBASTIAN: Dy achos di, ffrind annwyl, fydd fy nghynsail;
Fe fachaf Napoli fel y cefaist ti
Filano. Tynn dy gledd; un gwaniad a byddi'n
Rhydd o'r deyrnged rwyt ti'n ei thalu;
A minnau'r Brenin yn dy garu.
ANTONIO:                    Gyda'n gilydd;
A phan godaf i fy llaw, gwna dithau hefyd,
A disgyn ar Gonzalo.
SEBASTIAN:          Un gair ymhellach.
          (*Maen nhw'n siarad o'r neilltu. Daw ARIEL i mewn eto yn*
                         *anweladwy, gyda cherddoriaeth a chân*)
ARIEL: Rhag-wêl fy meistr trwy ei hud eich peryg,
Gyfaill, ac rwy'n dod i'ch cadw'n fyw,
Fel arall bydd ei arbrawf ef ar ben.
                    (*Mae'n canu yng nghlust GONZALO*)
          Tra eich bod chi'n chwyrnu cysgu,
          Y mae brad di-gwsg yn mynnu'i
          Ffordd â chi'n y düwch.
          Ac os prisiwch chi eich bywyd,
          Bwrwch gwsg, ac ynghyd
                    Deffrwch, deffrwch!
ANTONIO: Felly, gad i ni fod yn sydyn.
GONZALO: (*Yn deffro*)
Nawr, cadwed angylion da y Brenin!
ALONSO: (*Yn deffro*)
Beth? Hei! Beth sy'n... Deffrwch! Pam cleddyfau?
Pam felly'r olwg arswydus?
GONZALO:               Beth sy'n bod?
SEBASTIAN: Wrth i ni sefyll yma'n gwarchod eich gorffwys
Eiliad yn ôl fe glywsom wth o ruo

Gwag fel teirw, neu'n hytrach, lewod. Ai dyna'ch
Deffrodd? Roedd yn fyddarol!

ALONSO:                               'Chlywais i ddim.

GONZALO: Ar fy llw, syr, fe glywais furmur
A hwnnw'n un rhyfedd hefyd, ac fe'm deffrodd.
Fe 'sgydwais chi, syr, a galw. Wrth i'm llygaid agor
Gwelais eu cleddyfau. Roedd yna sŵn,
Mae'n wir. Gwell i ni fod yn wyliadwrus,
Neu fynd oddi yma. Gwell i ni dynnu'n harfau.

ALONSO: Arwain ni oddi yma, gadewch i ni chwilio
Ymhellach am fy mab, y truan.

GONZALO:                               Cadwed
Y nefoedd ef o enau'r bwystfilod hyn.
Y mae, yn sicr, ar yr ynys.

ALONSO:                               Arwain y ffordd.

ARIEL: Caiff Prospero, fy arglwydd, wybod hyn oll.
Chwilia di, Frenin, am dy blentyn coll.


# GOLYGFA II

*(Daw CALIBAN i mewn, yn cario baich o goed tân; clywir sŵn
taran)*

CALIBAN: Syrthied holl heintiau a sugnir gan yr haul
O gorsydd, gwernydd, mignedd ar Brospero
A'i droi yn salwch, ddafn wrth ddafn. Y mae
Ei ysbrydion yn fy nghlywed i, ond eto
Rhaid i mi felltithio. Ond ni wasgant,
Na gwneud i mi ofni gyda sioe ellyllon,
Fy nhaflu i'r gors, na'm harwain â chanhwyllau corff
Yn y tywyllwch, allan o'm ffordd, heb
Ei orchymyn ef: ond maent ar fy mhen
Am fanion; dro hyn fel epaod yn gwneud strymantau,
Ac yna'n fy nghnoi; dro arall fel draenogod
Sy'n powlio gorwedd yn fy llwybr troednoeth

Yn codi'u pigau wrth sŵn fy ngham; dro arall
Bydd nadredd yn fy ymgordeddu oll,
Tafodau fforchog yn fy hisian hyd
Wallgofrwydd.

*(Daw TRINCULO i mewn)*

O! acw, O!
Mae un o'i ysbrydion yn dod i'm poenydio
Am gario'r pren yn rhy araf. Syrthiaf yn fflat;
Efallai na sylwith arnaf.

TRINCULO: 'Does yma ddim llwyn na pherth yn gysgod rhag
unrhyw dywydd, a storm arall yn codi; rwy'n ei chlywed hi'n
canu yn y gwynt. Mae'r cwmwl yna, yr un anferth yna, yn
edrych fel hen sach sydd am fwrw'i diod. Os bydd yn taranu,
fel y gwnaeth o'r blaen, 'dwn i ddim ble i gysgodi. Does gan
y cwmwl du yna ddim dewis ond arllwys mewn bwceidiau.

*(Mae'n gweld CALIBAN)*

Beth sy gennyn ni yma, dyn neu bysgodyn? Byw neu farw?
Pysgodyn: mae'n gwynto fel pysgodyn, gwynt fel pysgodyn
hynafol, math o – na, nid gyda'r ffresiaf – facrell sychedig.
Pysgodyn rhyfedd! Pe bawn i yng Nghymru nawr (fel bûm i
unwaith) a pheri paentio'r pysgodyn hwn, ni allai'r un ffŵl ar
ei wyliau basio heb dalu darn o arian. Yno enillai'r bwystfil
hwn ffortiwn i ddyn; mae unrhyw greadur rhyfedd yn gwneud
ffortiwn. Roesen nhw ddim dimai yn gymorth i gardotyn cloff,
ond deg i weld Indian marw. Coesau fel dyn a'i esgyll fel
breichiau! Cynnes, yn wir! Mi fentra' i 'marn, fedra' i mo'i
gadw rhagor: nid pysgodyn 'mo hwn, ond ynyswr a drawyd,
yn ddiweddar, gan daran. Iesgyrn! Mae'r storm yn dychwelyd,
Y peth gorau i mi yw cropian o dan ei gabardîn; does dim
cysgod arall o amgylch. Mae adfyd yn creu cyfeillion rhyfedd!
Fe gysgoda i yma nes i'r storm fynd heibio .

*(Daw STEFFANO i mewn dan ganu)*

STEFFANO: Af i ddim mwy i'r môr, i'r môr,
    Ond marw ar y lan.
Mae hon yn dôn afiach i'w chanu mewn angladd dyn.
Wel, dyma fy nghysur.

*(Mae'n yfed ac yna'n canu)*

Carodd y meistr, y bosn a fi:
 Y gynnwr a'i fêt,
Mallt, Meg a Marian a Margeri,
 Doedd neb yn hoffi Cêt.
Am fod ei thafod hi'n drewi,
 'Forwr, cer i grogi!'
Mae hon yn dôn afiach hefyd, ond dyma fy nghysur.

*(Mae'n yfed)*

CALIBAN: Paid â'm poenydio! O!

STEFFANO: Beth sy'n bod? Oes diafoliaid yma? Ydych chi'n chwarae triciau arnom gydag anwariaid a dynion o'r India? Ha! Wnes i ddim osgoi boddi i ofni nawr eich pedair coes; dyma'r ddihareb, 'Ni all cystal dyn ar bedair coes ei orfodi ef i ildio'. Ac fe 'weda i eto tra bo Steffano'n anadlu drwy'i ffroenau.

CALIBAN: Mae'r ysbryd yn fy mhoenydio! O!

STEFFANO: Anghenfil ynysol yw hwn, yn meddu ar bedair coes ac, yn fy nhyb i, mae'r dwymyn arno. Sut ddiawl y dysgodd ein hiaith? Fe roddaf gymorth iddo, os ond am hynny. Os medraf ei wella a'i gadw'n ddof, a chyrraedd Napoli gydag e, wele anrheg i unrhyw ymerawdwr a fu ar dir y byw.

CALIBAN: Paid â'm poenydio, rwy'n erfyn arnat. Fe ddof i â'r pren adre'n gynt.

STEFFANO: Mae colled arno fe, dyw e ddim yn gwneud synnwyr. Fe gaiff flasu fy mhotel; os nad yfodd win erioed o'r blaen, bydd yn foddion i'w ffit. Os gallaf ei wella a'i gadw'n ddof, ni fydd unrhyw bris yn ormod amdano! Caiff yr un sydd am ei gael dalu amdano, a hynny'n ddrud.

CALIBAN: Dwyt ti ddim yn gwneud llawer o ddolur i mi. Ond fe wnei di mewn munud, gwn am dy fod ti'n crynu. Dyna Prospero'n gweithio arnat ti.

STEFFANO: Dere 'mlaen. Agora dy geg. Dyma rywbeth rydd iaith i ti, gath. Agor dy geg! Fe grynith hwn dy grynu di'n dda.

*(Mae'n arllwys i geg CALIBAN)*

Wyddost ti ddim pwy yw dy ffrind. Agor dy safn eto.

TRINCULO: Dylwn adnabod y llais yna. Llais – ond mae e wedi'i foddi, ac ellyllon yw'r rhain. O, arbed fi!

STEFFANO: Pedair coes a dau lais – anghenfil hynod. Mae'r llais blaen yn canmol ei ffrind; mae'r un ôl yn yngan areithiau brwnt ac yn beirniadu. Os medr holl win fy mhotel ei wella, fe drechaf ei dwymyn. Dere. Amen! Fe arllwysaf beth yn dy geg arall.

TRINCULO: Steffano!

STEFFANO: Ydi dy geg arall yn fy ngalw? Trugaredd, trugaredd! Diafol yw hwn, nid anghenfil. Rwy'n gadael. Does gen i ddim llwy hir.

TRINCULO: Steffano? Os mai ti yw Steffano, cyffwrdd fi a siarad, fi yw Trinculo! Paid ag ofni – dy ffrind da, Trinculo.

STEFFANO: Os mai Trinculo wyt ti, dere mas. Fe'th dynnaf di gerfydd dy goesau llai. Os oes gan Trinculo goesau, y rhain ydyn nhw.

*(Mae'n ei dynnu allan o'r clogyn)*

Ti, yn wir, yw'r Trinculo go iawn! Sut daethost ti i fod yn gachu'r llo brych 'ma? Gall e basio Trinculoau?

TRINCULO: Fe dybiais ei fod wedi ei ladd gan daran. Ond Steffano, nid wyt wedi boddi? Rwy'n gobeithio na'th foddwyd di. Ydi'r storm wedi chwythu'i phlwc? Fe guddiais i dan gaberdîn y llo brych marw, rhag ofn y storm. Ac a wyt ti'n fyw, Steffano? O Steffano, dau o Napoli wedi dianc?

STEFFANO: Plîs paid â'm troelli; dyw fy stumog i ddim yn ddiogel.

CALIBAN: Os nad ysbrydion ydynt, mae'r rhain yn dda;
Mae hwn yn dduw a chanddo hylif nefol.
Penliniaf iddo.

STEFFANO: Sut wnest ti ddianc? Sut ddoist ti yma? Taera lw ar y botel hon ynghylch sut y doist yma. Dihangais i ar gasgen win daflodd y morwyr dros yr ochr – myn y botel hon a luniais i â'm dwylo fy hun o risgl coeden, ers i mi gyrraedd y lan.

CALIBAN: Fe daera i lw o ffyddlondeb ar y botel hon i fod yn ddeiliad i ti; mae'r gwirod hwn yn nefolaidd.

STEFFANO: Dere, dwêd sut wnest ti ddianc.

TRINCULO: Nofiais i'r lan, ddyn, fel hwyaden. Rwy'n gallu nofio fel hwyaden, ar fy llw.

STEFFANO: Dere, cusana'r llyfr.

(*Mae TRINCULO'n yfed*)

Er dy fod ti'n medru nofio fel hwyaden, rwyt ti'n edrych fel gŵydd.

TRINCULO: O Steffano, a oes gen ti fwy o hwn?

STEFFANO: Casgenaid gyfan, ddyn. Mae fy seler mewn craig ar lan y môr, yno fe guddiais fy ngwin. Gyfarchion, lo lleuad, sut mae dy dwymyn?

CALIBAN: A ddisgynnaist ti o'r nefoedd?

STEFFANO: Na, o'r lleuad, rwy'n dy sicrhau. Fi oedd dyn y lleuad un tro.

CALIBAN: Fe welais i ti arni, ac rwy'n dy addoli!
Dangosodd fy meistres di i mi, gyda'th gi a'th briciau.

STEFFANO: Dere, tynga dy lw. Cusana'r llyfr. Fe'i hailgyflenwaf â chynnwys newydd yn y man. Tynga!

(*Mae CALIBAN yn yfed*)

TRINCULO: Yn enw da'r Arglwydd, anghenfil bas yw hwn. A fi'n ei ofni? Anghenfil hynod o dila. Y dyn yn y lleuad? Anghenfil hygoelus iawn, druan! Da ti, joch dda, anghenfil, yn wir.

CALIBAN: Dangosaf i ti bob modfedd fras o'r ynys,
Cusanaf dy droed. Rwy'n erfyn, bydd dduw i mi.

TRINCULO: Yn enw'r Arglwydd, anghenfil anffyddlon a meddw; pan fo duw'n cysgu, fe ddwgith ei botel.

CALIBAN: Cusanaf dy droed, a thyngu bod yn ddeiliad.

STEFFANO: Felly, dere mlaen, tynga ar dy liniau.

TRINCULO: Fe chwardda i at farw am ben yr anghenfil hwn a'i ben ci bach. Anghenfil afiach iawn. Fe allwn i roi crasfa iddo –

STEFFANO: Dere, rho gusan.

TRINCULO: Ond bod yr anghenfil druan yn gaib. Anghenfil atgas!

CALIBAN: Fe'th ddygaf at y ffynhonnau gorau; cei ffrwythau;
Pysgotaf i ti, a chasglu digon o bren.

Pla ar y teyrn yr o'wn i'n ei wasanaethu!
Charia' i ddim mwy o ganghennau iddo fe
Ond dilyn ti, di ddyn rhyfeddol.

TRINCULO: Anghenfil chwerthinllyd dros ben – i weld
rhyfeddod mewn meddwyn druan!

CALIBAN: Gad i mi'th arwain at y crancod tew,
Defnyddio fy ngwinedd hir i dyrchu cnau
O'r pridd, dangos nyth sgrech y coed a sut
I faglu'r mármoset chwim. Fe'th ddygaf
At ble mae'r cnau cyll yn drwch ac, ambell waith,
Fe fachaf huganod ifainc o'r graig. A ddoi di?

STEFFANO: Da ti, nawr, arwain y ffordd, heb fwy o siarad.
Trinculo, os boddwyd y Brenin a gweddill y cwmni, ni fydd
yn etifeddu'r man hwn. Cym', caria fy mhotel. Dilyna
Trinculo, fe lenwn ni hi eto yn y man.

CALIBAN: (*Yn canu'n feddw*)
Ffarwél, feistr; ffarwél, ffarwél!

TRINCULO: Anghenfil yn udo, anghenfil meddw!

CALIBAN: Wfft i sgota ar y lan,
            Wfft i waith tu allan;
            Wfft i dendio ar y tân
            Ban' ban' Ca–caliban,
            Mae'r caethwas wedi hedfan.

STEFFANO: O anghenfil dewr, arwain y ffordd.

(*Ânt allan*)

# ACT 3

## GOLYGFA 1

(*Daw FFERDINAND i mewn yn cario boncyff*)
FFERDINAND: Mae rhai gweithgareddau'n boenus, ond eu
mwynder
Sy'n canslo'u llafur. Gellir dioddef gwarth
Yn anrhydeddus; ac o faterion tlawd
Daw diwedd cyfoethog. Byddai hon, fy nhasg
Ddi-urddas, i mi yn drwm ac yn wrthun, serch
Bod fy meistres sy'n codi'r marw'n fyw,
Yn troi fy ngwaith yn bleser. O, mae hi
Ddengwaith mwy addfwyn nag yw ei thad yn flin,
Dyw yntau'n ddim ond tymer. Rhaid i mi symud
Rhai miloedd o'r boncyffion hyn a'u dodi'n
Bentwr, dan orchymyn llym. Mae hi,
Fy meistres, yn crio wrth fy ngweld yn gweithio,
Gan ddweud na welodd y fath warth erioed
Yn nwylo'r cyfryw weithiwr. Ond rwyf i'n anghofio;
Mae'r myfyrdodau melys hyn yn iro'm llafur
Po fwyaf rwy'n gweithio.
(*Daw MIRANDA i mewn, a PROSPERO – o bellter, heb ei
weld*)
MIRANDA:                O nawr, rwy'n erfyn arnoch,
Peidiwch gweithio mor galed. Byddai'n well pe bai mellten
Wedi llosgi'r boncyffion yn ulw. Os gwelwch yn dda,
Gollyngwch hwnna, gorffwyswch. Mae fy nhad
Yn astudio'n galed; da chi nawr, gorffwyswch.
Y mae'n ddiogel am deirawr.

FFERDINAND:                    O, feistres anwylaf.
  Fe fydd hi wedi machlud cyn i mi orffen
  Yr hyn sy'n rhaid i mi'i wneud.
MIRANDA:                    Os 'steddwch chi,
  Fe garia i'r pren am dipyn. Rhowch hwnna i mi;
  Fe'i dygaf i'r pentwr.
FFERDINAND:              Na, greadur drudfawr,
  Gwell fyddai gen i gracio'm gewynnau, torri
  F'asgwrn cefn na'ch gweld chi'n dioddef y fath
  Gywilydd a minnau'n diogi gerllaw.
MIRANDA:                    Ond byddai'n
  Gweddu i mi gystal, byddai'n haws
  I mi, gan fod f'ewyllys yn fodlon
  A'ch un chithau yn erbyn.
PROSPERO: (*I'r naill ochr*)
  Di fwydyn druan, rwyt ti'n sâl!
  Mae'r symptomau'n amlwg.
MIRANDA:                    Rydych wedi blino.
FFERDINAND: Na, feistres bendefig, rwy mor ffres â'r bore
  A chithau gennyf liw nos. Os gwelwch yn dda –
  Gan mwyaf er mwyn ei osod yn fy mhaderau –
  Beth yw eich enw?
MIRANDA:                    Miranda. – O, fy nhad,
  Bûm anufudd ich er mwyn cael dweud!
FFERDINAND: Firanda ryfeddol! Yn wir, uchafbwynt
                          rhyfeddod,
  Gwerth stwff druta'r byd! Llygadais lawer merch
  Am edrych yn dda ac, yn rhy aml, denodd
  Harmoni eu lleisiau fy nghlust goreiddgar
  A'm gwneud yn gaeth. Hoffais sawl benyw; ond
  Nid oedd un nad oedd ar ei henaid lawn
  Ryw nam a darfai ar ei gras bendeficaf
  A'i drechu'n llwyr. Ond chi, O chi, mor berffaith,
  Mor ddigymar, fe'ch crëwyd chi o orau
  Pob creadur.
MIRANDA:        Nid wy'n adnabod neb

O'r rhyw fenywaidd, na'n cofio wyneb merch
Mewn drych, serch fy mhryd fy hun. Ni welais chwaith
Neb na allwn i ei alw'n ddyn
Serch chi, fy nghyfaill da, a'm hannwyl dad.
Ni wn i sut ymddengys pobl yn
Y fan draw ond, yn fy ngwyleidd-dra (gem fy ngwaddol)
Ni fynnwn unrhyw gydymaith yn y byd
Ond chi, ni fedraf ddychmygu unrhyw siâp
Ac eithrio chi, i'w hoffi. Rwy'n parablu'n
Rhy wyllt, ac felly'n anghofio cyngor fy nhad.

FFERDINAND: Tywysog ydw i o ran fy stad
A brenin wedyn – er na fynnwn felly –
A hoffaf y caethwasiaeth prennaidd hwn
Cystal â chynrhon yn fy ngheg! Ond clywch
Fy enaid: y foment y'ch gwelais, ffodd fy nghalon
I'ch gwasanaethu ac mae yno'n gaethwas
Ac, er eich mwyn, rwy'n amyneddgar-ddyn
Boncyffion.

MIRANDA:   A ydych chi'n fy ngharu?

FFERDINAND: O nefoedd, O ddaear, tystiwch i'r geiriau hyn,
Coronwch yr hyn rwy'n ei ddweud â ffawd garedig
Os dyma'r gwir; os gau, gwyrdrowch y gorau
Yn fy argoelion yn ddrygioni! Rydw i
Tu hwnt i ben draw popeth yn y byd
Yn eich caru, trysori, anrhydeddu chi.

MIRANDA: Rwy'n ffŵl i grio am fy mod i'n falch.

PROSPERO: (*I'r naill ochr*)
Cyfarfod teg dwy galon brin. Arllwysed glaw'r
Grasusau ar yr epil a ddaw iddynt.

FFERDINAND: Pam crio?

MIRANDA: Fy annheilyngdod, nad yw'n meiddio cynnig
Yr hyn mae arnaf chwant ei roi, na chwaith
Gymryd beth byddaf farw hebddo. Peth bach
Yw hyn, a pho fwyaf mae'n ceisio cuddio'i hun,
Y mwyaf mae'n dangos. Dos, gyfrwystra swil,
A diniweidrwydd sanctaidd, arwain fi!

Rwy'n wraig i chi os mynnwch fy mhriodi;
Os na, fe fydda i'n forwyn i chi. Gallwch fy ngwrthod
Fel cymar ond fe fyddaf forwyn i chi
Os mynnwch chi ai peidio.

FFERDINAND:                    Fy meistres anwylaf,
A minnau'n wylaidd byth.

MIRANDA:                         Felly, fy ngŵr?

FFERDINAND: Ie, â chalon sydd yr un mor fodlon
Ar fod yn gaeth ag yn rhydd. Dyma fy llaw.

MIRANDA: Fy llaw a'm calon ynddi. Nawr ffarwél
Am hanner awr.

FFERDINAND:   Mil o filoedd!

                    (*Â MIRANDA a FFERDINAND allan*)

PROSPERO: Ni fedraf fod mor falch ag yw y ddau
A synnwyd, ond 'all dim fy mhlesio fwy.
At fy llyfr nawr. Mae gen i lawer i'w wneud
Cyn amser swper a sawl tasg i'w chyflawni.


# GOLYGFA II


(*Daw CALIBAN, STEFFANO a TRINCULO i mewn*)

STEFFANO: Ca' dy lap. Pan fydd y gasgen yn wag, fe yfwn ni
ddŵr; tan hynny, dim diferyn. Bwystfil was, llwncdestun i mi.

TRINCULO: Bwystfil was? Mae'r ynys 'ma'n llawn dwli! Maen
nhw'n dweud mai dim ond pump sydd ar yr ynys hon; r'yn
ni'n dri ohonynt. Os yw'r ddau arall mor gaib â ni, mae'r
wladwriaeth yn simsanu.

STEFFANO: Yf, fwystfil was, pan rof orchymyn it. Mae dy lygaid
yn machlud yn dy ben.

TRINCULO: Ble arall fydden nhw ond yn ei ben? Byddai'n
fwystfil rhyfedd iawn pe baen nhw wedi eu gosod yn ei gwt.

STEFFANO: Mae fy mwystfil-ddyn wedi boddi ei dafod mewn
gwin. O'm rhan i, ni all y môr fy moddi i. Fe nofies i, cyn i
mi gyrraedd y lan, rhyw gan milltir, fwy neu lai. Oherwydd
hyn, cei fod yn lefftenant i mi, neu'n fanerwr.

TRINCULO: Dy lefftenant, os mynni di; ond dyw e ddim ffit i ddal y faner.

STEFFANO: Paid â rhedeg, Mister Anghenfil.

TRINCULO: Allwch chi ddim cerdded; go brin y gorweddwch chi fel cŵn heb ddweud dim.

STEFFANO: Dywed, lo brych, am unwaith yn dy fywyd, a wyt ti'n lo brych da?

CALIBAN: Henffych, d'anrhydedd. Gad i mi lyfu'th esgid. Wna' i ddim ei wasanaethu e, dyw e ddim yn ddewr.

TRINCULO: Celwydd, y bwystfil twp. Rwy'n ysu i wthio cwnstabl. Di bysgodyn pwdr di, ai llwfrgi fu unrhyw ddyn a yfodd gymaint o win ag y gwnes i heddi? Wyt ti'n meiddio dweud anghenfil o gelwydd, a thithau'n hanner pysgodyn, hanner anghenfil?

CALIBAN: Mae hwn yn fy ngwawdio. Wnei di adael iddo, f'Arglwydd?

TRINCULO: O, 'Arglwydd', medd e. Mae'r bwystfil yn ffŵl.

CALIBAN: Dyna fe eto! Cno fe i farwolaeth, rwy'n erfyn.

STEFFANO: Dal dy dafod, Trinculo, da ti. Gwrthryfela, a chei grogi o'r goeden agosaf! Mae'r bwystfil druan yn ddeiliad i mi, a chaiff neb ei amharchuso.

CALIBAN: Diolch, fy arglwydd pendefig. A fydd yn dy blesio i wrandaw unwaith yn rhagor ar fy neisyfiad?

STEFFANO: Yn wir, fe wnaf. Penlinia a'i ailadrodd. Fe safaf i, a thithau, Trinculo.

*(Daw ARIEL i mewn, yn anweladwy)*

CALIBAN: Fel dwedais wrthyt o'r blaen, rwy'n gaeth i unben, Dewin, ac mae ei gyfrwystra wedi'm
Hamddifadu o'r ynys hon.

ARIEL: *(Yn llais TRINCULO)*
Celwyddgi.

CALIBAN: Celwydd! Y mwnci drygionus â thi.
Fe ddylai fy meistr dewr dy ddinistrio di.
Rwy'n dweud y gwir.

STEFFANO: Trinculo, os tarfi di fwy ar ei stori, fe fydd y dwrn yma'n tarfu ar rai o'th ddannedd.

TRINCULO: Ond, ddwedes i ddim byd.

STEFFANO: Shwsh, 'te, a dim mwy. Cer 'mlaen.

CALIBAN: Trwy ddewiniaeth y meddiannodd yr ynys.
Fe'i dwgodd oddi arnaf i. Petai
D'anferthedd yn medru dial – fe wn y meiddi,
Ond feiddith hwn ddim –

STEFFANO: Mae hynny'n sicr.

CALIBAN: Ti fydd arglwydd arni a bydda i
Yn dy wasanaethu.

STEFFANO: Sut fedrwn ni gyflawni hyn? A elli di fy nwyn at y
gwron 'ma?

CALIBAN: Medraf, medraf, fy arglwydd. Fe gei di ef
Ynghwsg a gelli daro hoelen yn ei ben.

ARIEL: (*Yn llais TRINCULO*)
Celwyddgi, fedri di ddim.

CALIBAN: Twpsyn brith yw hwn! Y mwnci brwnt!
Rwy'n ymbil ar eich mawrder, rhowch iddo godwm,
A mynd â'i botel oddi arno. Wedyn caiff
Yfed dim byd ond heli, byddaf yn gwrthod
Ei arwain i'r ffrydiau ffres.

STEFFANO: Trinculo, paid â rhuthro tuag at fwy o berygl. Un
gair mwy o dorri ar draws yr anghenfil, dyna ddiwedd ar fy
nhrugaredd, fe'th fwra' i di'n fflat fel pysgodyn sych.

TRINCULO: Pam? Beth wnes i? Wnes i ddim. Rwy'n mynd o'
'ma.

STEFFANO: Oni ddywedaist ti ei fod e'n dweud celwydd?

ARIEL: (*Yn llais TRINCULO*)
Celwyddgi.

STEFFANO: O, ydw i? Cymer hwn! (*Mae'n curo TRINCULO*)
Os wyt ti'n hoffi hwn, dywed yr un peth eto! Dywed y
celwydd eto!

TRINCULO: 'Wnes i ddim dy alw'n gelwyddgi. Wyt ti'n dwp
*ac* yn fyddar? Pla ar dy botel! Dyma all gwin ac yfed wneud. Y
frech ar dy fwystfil, a dyged y diawl dy fysedd.

CALIBAN: Ha, ha, ha!

STEFFANO: Nawr, ymlaen â dy chwedl. (*Wrth TRINCULO*)
Os gwel' di'n dda, safa 'mhellach bant.

CALIBAN: Cura fe ddigon; ac, yn y man, fe rof
Iddo grasfa hefyd.

STEFFANO: (*Wrth TRINCULO*) Bellach. (*Wrth CALIBAN*)
Dere 'mlaen.

CALIBAN: Wel, fel ddwedes i, y mae e'n arfer
Cysgu'r prynhawn. Fan yno, medri hollti'i
Ben, ar ôl i ti yn gyntaf gipio'i lyfrau,
Neu ddyrnu'i benglog â stanc, ei ddiberfeddu
Neu sleisio'i bibell â'th gyllell. Cofia,
Yn gyntaf, feddiannu'i lyfrau. Hebddyn nhw
Mae'n ffŵl, fel fi, heb unrhyw ysbryd
I'w ufuddhau. Maen nhw'n ei gasáu, fel fi,
I'r gwreiddiau. Ond i ti losgi'i lyfrau.
A'r hyn i'w gysidro ddyfnaf ydi harddwch
Ei ferch; mae ef ei hun yn ei galw hi
Yn un ddihafal. Ni welais wraig o'r blaen,
Serch Sycorax, fy mam, a hon; a hi,
O'i chymharu â Sycorax, yw'r orau
Ochr yn ochr â baw.

STEFFANO:                A yw'r lodes mor gain?

CALIBAN: Ydi, arglwydd, bydd yn gaffaeliad i'th wely,
A daw plant teg o'i chroth.

STEFFANO: Anghenfil, fe laddaf y dyn hwn. Bydd ei ferch a fi
yn frenin a brenhines arnat – Duw a'n cadwo – a bydd
Trinculo a thi yn llywodraethwyr. A wyt ti'n hoffi'r plot,
Trinculo?

TRINCULO: Ardderchog.

STEFFANO: Rho dy law i mi. Mae'n ddrwg gen i'th guro ond,
da ti, tra fyddi byw, rheola dy dafod.

CALIBAN: 'Mhen hanner awr bydd Prospero ynghwsg.
A wnei di ei ddifa wedyn?

STEFFANO:                Gwnaf, ar fy llw.

ARIEL: (*I'r naill ochr*)
Dywedaf hyn wrth fy meistr.

CALIBAN: Fe wnaethost fi'n llawen; rwyf i'n llawn pleser.
Gadewch i ni ddathlu. Beth am y diwn gron
Y dysgoch chi i mi o'r blaen?

STEFFANO: Gan i ti ofyn, fwystfil. Fe wnaf i unrhyw beth o
fewn rheswm, unrhyw reswm. Dere, Trinculo, gad i ni ganu.

(*Yn canu*)

Wfftiwch, stwffiwch,
Stwffiwch, wfftiwch,
Pawb â'i farn.

CALIBAN: Nid dyna'r dôn.

(*Mae ARIEL yn chwarae'r dôn ar dabwrdd a phib*)

STEFFANO: Beth yw hyn?

TRINCULO: Hon yw alaw ein tiwn gron, yn cael ei chwarae
gan lun o Neb.

STEFFANO: Os mai dyn wyt ti, dangos dy ffurf. Os mai diafol
wyt ti, cer i uffern.

TRINCULO: O, maddau fi a'm pechodau!

STEFFANO: Mae marw'n talu'r dyledion i gyd. Rwy'n dy
ddyffeio. O'r Trugaredd!

CALIBAN: A wyt ti'n ofni?

STEFFANO: Fi, anghenfil? Na'dw.

CALIBAN: Peidiwch ofni. Mae'r ynys yn llawn o sŵn,
Twrw, alawon sy'n llonni heb niweidio.
Weithiau bydd mil o offerynnau'n tiwnio,
Mwmian o gylch fy mhen; ac, weithiau lleisiau,
Ac os dihunais ar ôl cysgu'n hir,
Gwnânt i mi gysgu eto; breuddwydiais weld
Cymylau'n agor i ddangos trysorau'n barod
I ddisgyn arnaf, ac wrth ddihuno, llefais
Am gael breuddwydio eto.

STEFFANO: Bydd hon yn deyrnas braf i mi, lle caf fy
ngherddoriaeth am ddim.

CALIBAN: Ar ôl dinistrio Prospero.

TRINCULO: Mae'r sŵn yn ymbellhau. Gadewch i ni ddilyn ac,
wedyn, wneud ein gwaith.

STEFFANO: Anghenfil, arwain di'r ffordd, fe ddilynwn ni. Fe

hoffwn i weld y tabyrddwr; mae'n gallu chwarae.

TRINCULO: (*Wrth CALIBAN*) Ti'n dod? Fe ddilyna i Steffano.

(*Ânt allan*)


# GOLYGFA III

(*Daw ALONSO, SEBASTIAN, ANTONIO, GONZALO, FFRANCISCO ac eraill i mewn*)

GONZALO: Myn Mair, ni fedraf fynd ymhellach, syr.
Rwy'n llawn gwynegon. Mae hon yn ddrysfa dda,
Mae'n gwlwm o droeon! Os oes gennych amynedd,
Rhaid i mi orffwys.

ALONSO:          Hen arglwydd, fedra' i ddim
Dy feio, mi rydw i fy hunan mor flinedig
Mae f'ysbryd yn swrtháu. Eistedd a gorffwys.
Yma'n awr rwy'n gwrthod gobaith, mae'n
Wenieithwr. Y mae wedi boddi, 'r un
Y crwydrwn ar ei ôl, mae'r môr yn gwatwar
Ein chwilio gwag ar dir. Bydd rhaid ei adael.

ANTONIO: (*I'r naill ochr wrth SEBASTIAN*)
Rwy'n falch ei fod yn teimlo'n anobeithiol.
Paid ti, o fethu unwaith, hepgor y nod
Oedd yn dy feddwl.

SEBASTIAN: (*I'r naill ochr wrth ANTONIO*)
         Fe gymerwn fantais
Y cyfle nesaf.

ANTONIO:     Beth am ei wneud o heno?
Oherwydd nawr, maent wedi blino'n lân;
Ni fedrant fod mor wyliadwrus nawr
Â phan oedd pawb yn effro.

SEBASTIAN:          Heno. Ust.
(*Cerddoriaeth ddwys a rhyfeddol; â PROSPERO i fyny – yn anweladwy. Daw nifer o siapiau rhyfedd i mewn, yn dwyn gwledd, a dawnsio o'i amgylch, yn cyfarch a gwahodd y Brenin a'r lleill i fwyta. Maent yn gadael*)

ALONSO: Pa harmoni yw hyn? Gyfeillion da, gwrandewch!

GONZALO: Cerddoriaeth bêr, ryfeddol.

ALONSO: Rho i ni geidwaid caredig, nefoedd! Beth oedd
y rhain?

SEBASTIAN: Sioe o bypedau byw! Fe goelia' i nawr
Bod uncyrn yn bod; ac yn Arabia
Y mae un goeden sydd yn orsedd ffenics,
Ac un yn arglwyddiaethu yno'n awr.

ANTONIO: Rwy'n credu'r ddau; pob dim sy'n annhebygol,
Dewch ataf i, fe daeraf eu bod yn wir.
Nid ydi teithwyr yn dweud celwydd
Er bod y ffyliaid adre yn eu hamau.

GONZALO: Pe soniwn am hyn yn Napoli, pwy fyddai'n
Fy nghredu? Pe honnwn i mi weld y fath
Ynyswyr (dyna yw'r rhain, heb un amheuaeth),
Rhai sydd, er gwaethaf eu gwedd afluniaidd, nodwch,
Yn ymddwyn mewn modd mwy addfwyn a charedig
Na llawer o'n cenhedlaeth ddynol ni –
Na, y mwyafrif.

PROSPERO: (I'r naill ochr)
Arglwydd gonest, gwir
Y gair, mae rhai ohonoch chi sydd yma'n bresennol
Yn waeth na'r diafol.
(Mellt a tharanau. Daw ARIEL i mewn fel ellyll; mae'n taro'i
adenydd ar y ford; ac, mewn ffordd gelfydd, mae'r wledd yn diflannu.)

ARIEL: Tri phechadur ydych chi y parodd
Rhagluniaeth, sy'n pwrpasu'r bydysawd isaf
Gyda'i holl gynnwys, i'r anniwalladwy fôr
Eich bytheirio a'ch bwrw ar yr ynys hon,
Lle nad oes neb yn byw – chi, o blith dynion
Y mwyaf annheilwng – gyrrais chi o'ch co';
Dewrder fel hyn sydd gan ddynion sy'n lladd
Neu'n boddi eu hunain.
(Mae ALONSO, SEBASTIAN ac ANTONIO yn dadweinio'u
cleddyfau)
Chi, ffyliaid! Mi rydw i

A'm cyfeillion yn weinidogion ffawd.
Waeth i chi ofyn i'r elfennau a weithiwyd i lafn
Eich cleddyfau geisio anafu'r gwyntoedd croch
Neu ladd y dyfroedd sy'n parhau i godi
 gwanau dirmygedig a lleihau'r
Un blewiach ohona i. Mae fy nghyd-weision
Yr un mor anghlwyfadwy. Pe medrech ein brifo,
Fe hudwn eich cleddau i fod yn rhy drwm i'w codi,
Yn drech na'ch nerth. Ond cofiwch (dyma yw
Fy musnes gyda chi) i chi eich tri
O Filano ddisodli Prospero, ei fwrw
Â'i ferch ddiniwed allan ar y môr,
Sydd wedi dial; ni aeth y ddichell hon
Yn angof, ond gohiriodd y pwerau
Wylltio'r moroedd a'r glannau – 'n wir
Y creaduriaid oll – yn erbyn eich
Tangnefedd. Alonso, fe'th amddifadwyd di
O'th fab, a thrwof fi dedfrydir chi
I golledigaeth hir sy'n waeth nag unrhyw
Dranc. Fe'ch dilyna chi a'ch moesau gam
Wrth gam i'r ynys ddiffaith hon, os nad
Achubir chi gan edifeirwch, yna
Bywyd pur a ganlyn.
(*Mae'n diflannu gyda tharan. Yna, i gerddoriaeth dawel, daw'r
ffurfiau i mewn eto a dawnsio gydag ystumiau a chario'r bwrdd allan*)
PROSPERO: Dyna berfformiad gwych o ffigwr ellyll,
Fy Ariel, roedd gras 'n y modd yr ysaist y bwyd.
Nid esgeulusodd dy araith ddim o'r hyn
Oedd gen i i'w ddweud. Fe wnaeth dy gynorthwywyr
Eu gwaith mewn modd credadwy, cywir iawn.
Y mae fy uchel swynion yn llwyddiannus,
Wele'm gelynion wedi'u clymu'n dynn
O fewn eu dryswch. Nawr maen nhw dan fy llaw;
Gadawaf nhw i'w ffitiau i ymweld
Â Fferdinand ifanc (a foddwyd, yn eu tyb)
A'i gariad annwyl ef a minnau.

(*Â allan*)

GONZALO: Yn enw rhywbeth sanctaidd, syr, pam rhythu'n
    Rhyfedd fel hyn?

ALONSO:            Gwarthus, o mae'n ffiaidd, ffiaidd!
    Meddyliais fod y tonnau'n siarad, datgan;
    Y gwyntoedd yn canu i mi a bod y daran –
    Y bibell organ ddofn arswydus honno – yn
    Cyhoeddi enw Prospero, yn llinell
    Fas i'm trosedd. Felly mae fy mab
    Ynghwsg yn y llysnafedd ac fe'i ceisiaf
    Mewn man sy'n ddyfnach nag a fwriwyd plymen,
    A gorwedd yno gydag ef mewn llaid.

SEBASTIAN: Os dôn nhw un wrth un, fe frwydraf fyddin.

ANTONIO: A minnau'n ail i ti.

                      (*Â SEBASTIAN ac ANTONIO allan*)

GONZALO: Mae'r tri yn orffwyll: ac mae eu heuogrwydd
    Fel gwenwyn sy'n gweithio ar ôl cyfnod nawr
    Yn ysu'u hysbryd nhw. Rwy'n erfyn arnoch,
    Chi sy'n ystwythach eich cymalau, ewch
    Ar eu hôl a'u hatal rhag cyflawni'r hyn
    Y gyrr eu perlewyg hwy i'w wneud.

ADRIAN: Dilynwch nhw, a hynny'n gyflym.

                              (*Â pawb allan*)

# ACT IV

## GOLYGFA I

*(Daw PROSPERO, FFERDINAND a MIRANDA i mewn)*
PROSPERO: *(Wrth FFERDINAND)*
    Os cosbais di'n rhy lym o'r blaen y mae
    Dy ddigollediad wedi talu'r iawn.
    Fe roddais un rhan o dair o'm bywyd it,
    Yr hon er ei mwyn rwy'n byw, a dygaf hi
    I'th ddwylo unwaith eto. Roedd dy holl
    Drallodion yn brofion osodais ar dy serch,
    Fe lwyddaist yn rhyfeddol. Yma, gerbron
    Y nef, rwy'n cadarnhau fy rhodd gyfoethog.
    O Fferdinand, paid gwenu ar fy ymffrost,
    Fe ddoi di i weld bod hon tu hwnt i glod
    Sy'n dilyn ar ei hôl yn gloff.
FFERDINAND:               Fe gredaf hyn
    Cyn popeth arall.
PROSPERO: Felly, fel fy rhodd, a'th gaffaeliad di
    A enillwyd yn haeddiannol, cymer fy merch.
    Ond, os torri gwlwm ei gwyryfdod
    Cyn gweinyddu defod lawn a glân
    Y seremonïau cysegredig oll,
    Ni fydd y nef yn gollwng ei bendithion
    I beri ffrwytho'r cytundeb hwn;
    Fe fydd casineb hesb a dirmyg sur
    A chynnen yn gwasgaru chwyn mor chwerw
    Dros undeb eich gwely, nes byddwch chi eich dau
    Yn ei gasáu. Felly, cymerwch ofal,
    Bydd lampau Hymen arnoch.

FFERDINAND:     Dyma 'ngobaith:
 Dyddiau tawel, epil iach, hir oes
 A chyda chariad fel y mae yn awr,
 Ni allai'r ffau dywyllaf un, na'r man
 Cyfleusaf oll, na chwaith awgrym cryfaf
 Fy natur waethaf doddi fy anrhydedd
 Yn flys, na dwyn yr awch o ddathlu'r dydd
 Hwnnw, pan fydda i'n tybio rhaid bod meirch
 Duw Phoebus wedi'u cloffi a bod nos
 Wedi'i gadwyno dan y byd.
PROSPERO:     Da was.
 Eistedd a siarad, felly, gyda hi.
 Mae'n eiddo it. Tyrd Ariel! Fy ngwas
 Mor ddiwyd, Ariel tyrd!

         *(Daw ARIEL i mewn)*
ARIEL: Yma, feistr nerthol, beth yw dy ewyllys?
PROSPERO: Perfformiaist ti a'th gymheiriaid is eich tasg
 Yn deilwng, rhaid i mi'ch defnyddio chi
 Mewn un cast arall. Dos, a thyrd â'r dorf
 (Y rhoddais i ti bŵer drostynt) yma.
 Cyffro nhw i symud yma'n chwim;
 Rwyf am gyfleu i lygaid y cwpwl ifanc hyn
 Ryw rith o'm dysg. Fe addewais
 Ac maen nhw'n disgwyl hyn.
ARIEL:      Y foment hon?
PROSPERO: Mewn chwinc.
ARIEL:    Cyn it ddweud, 'Dos hwnt ac yma',
    Ac anadlu'n ddiddrwg-didda,
    Pawb yn dawnsio mewn cymysgfa,
    Dônt yn gwepan yn ysmala.
    Wyt ti yn fy ngharu? Na?
PROSPERO: Yn daer, fy Ariel gelfydd. Paid dynesu
 Tan i mi dy alw.
ARIEL:    Iawn, rwy'n deall.

           *(Â allan)*

PROSPERO: Bydd dithau'n driw a chadw ffrwyn yn dynn
    Ar gariadgarwch. Gwellt yw llwon dwys
    I'r tân sydd yn y gwaed. Bydd ymwrthodol
    Neu nos da i'th addewid.

FFERDINAND:             Rwy'n gwarantu, syr,
    Bod eira oer, gwyryfol ar fy nghalon
    Yn lleddfu nwyd fy iau.

PROSPERO:           Yn falch o glywed!
    Yma'n awr, fy Ariel, rhithia'n chwim.
    Dim sŵn, gofala! Ac yn dawel!

                              *(Daw IRIS i mewn)*

IRIS: Dduwies y tir, mae'r môr a'i ru
    Yn asio'n gôr ar draeth i ganu
    Pob canmoliaeth i brynhawn
    Dy gyfoeth di mewn ffrwyth a grawn;
    Ti wyddost lle mae pob creadur
    Yn cuddio pan fo'r nos yn gur
    Sy'n geni cywion gyda'u lleisiau newydd,
    Yn arwain preiddiau at afonydd,
    Tyrd, ymddangos nawr i ni
    Sy'n byw a bod yn dy haelioni.

                              *(Daw CERES i mewn)*

CERES: Henffych chwaer, di sgarff y nef
    Sy'n gwlitho perth a gwern a chantref,
    Yn ailddarlunio'r byd a rhoi
    Dŵr i'r preiddiau sy'n cil-gnoi;
    Anadl dyfroedd ar faes a buarth,
    Paham y gelwaist fi o waith y dderwen
    I'r fangre hon o dan dy nen?

IRIS: I ddathlu gwanwyn newydd serch;
    Wele, dyma fab a merch
    Sy'n gofyn bendith ar y llw
    A fydd yn fywyd iddyn nhw.

CERES: Ond i'r ddau hyn ufuddhau
    A chofio beth yw prif rinweddau
    Glân briodas, dal yn ôl

O bleserau gwyllt y côl,
Fel bo purdeb yn teyrnasu
Ar ddyfodol aur y ddau.
Wele Iwno, ein brenhines
Ddaeth o'r nef â dwyfol neges.

*(Maent yn canu)*

IWNO: Clywch, y mae sibrydion cariad
Yn adleisio drwy'r holl wlad.
Lleisiau'r rhain sydd yn cyweirio
Popeth cras, a boed ymchwyddo
Tiwn eu nwyd yn chwerthin plant
Cenedlaethau, fel y cânt
Weld eu tylwyth fel y tywod
Aur yn seinio'u clod.
CERES: Boed i'r ddaear fod yn ffrwythlon
Gyda'r ysguboriau'n llawn;
Grawnwin llond eu croen yn tyfu,
Planhigion dan eu ffrwyth yn plygu;
Daw y Gwanwyn yn ei dro
Ar ôl diwedd Hydref eto;
Ni fydd angen dim byd arnoch
Gan fod bendith Ceres arnoch.
FFERDINAND: Am weledigaeth fawreddog, ac mae hon
Yn cynganeddu'n hyfryd. A ydw i'n iawn?
Ysbrydion ydyn nhw?
PROSPERO:                Ie, ysbrydion
A elwais, trwy fy nysg, o'u hanheddau
I actio fy ffansi.
FFERDINAND:   O na allwn fyw
Yma am byth; mae tad rhyfeddol, doeth
Yn gwneud yr ynys hon yn nefoedd im.
PROSPERO: Anghofiais am y bwystfil, Caliban,
A'i gynllwyn budr ef ynghyd â'i gwmni
I'm lladd. Mae awr eu twyll yn agos iawn. *(Wrth yr ysbrydion)*
Sioe dda.
Da boch, dim mwy!

*(Â'r ysbrydion allan)*

FFERDINAND: *(Wrth MIRANDA)*
  Rhyfeddol. Mae eich tad yn wyllt â rhyw
  Gynddaredd sydd yn gweithio ynddo'n gryf.
MIRANDA: Ni welais ef erioed o'r blaen mewn llid
  Mor ysig.
PROSPERO: Peidiwch, fy mab, â chymryd atoch.
  Codwch eich calon, syr, oherwydd daeth i ben
  Ein cyfeddach nawr. Fel y'ch rhybuddiais,
  Ysbrydion oedd yr actorion hyn a doddodd
  I'r awyr, ie i'r awyr fain; ac – fel
  Brethyn di-sylfaen yr olygfa hon –
  Tyrrau'n ymestyn i fyny'r cymylau, plasau
  Godidog, temlau hardd, y ddaear gron
  Ei hun, yn wir pob dim a etifedda,
  Diffoddant ac, fel y pasiant ansylweddol
  Hwn, pylant a gadael prin darth o'u hôl.
  Deunydd breuddwydion ydym, ynys fach
  Yw'n bywyd mewn môr o gwsg. Syr, rwy'n drist.
  Amynedd â'm gwendid: pen hen ŵr, llawn gwae.
  Na hidiwch ddim fy mod i'n fusgrell. Ciliwch
  I'm cell, os gwelwch yn dda, cewch orffwys yno.
  Fe af am dro i dewi'r terfysg yn
  Fy meddwl.
FFERDINAND, MIRANDA: Fe ddymunwn i chi heddwch.
                              *(Ânt allan)*
PROSPERO: Tyrd fel syniad, diolch. Ariel, tyrd!
                        *(Daw ARIEL i mewn)*
ARIEL: Rwy'n ufudd i'th fwriadau. Beth yw'th bleser?
PROSPERO: Ysbryd, rhaid paratoi i gwrdd â Chaliban.
ARIEL: Fy meistr. Pan gyflwynais Ceres i ti,
  Bwriedais dy rybuddio ond roedd ofn
  Dy wylltio arnaf.
PROSPERO:        Dywed ymhle gadewaist nhw,
  Y cnafon.
ARIEL:        Dywedais wrthyt, syr, eu bod

Yn stemio, mor ddewr fel eu bod yn curo'r aer
Am anadlu yn eu hwyneb, yn taro'r llawr
Am gusanu'u traed ond yn parhau i droi
Tuag at eu pwrpas. Curais fy nhabwrdd ac
Fel merlod heb eu dofi, dyna foeli
Clust a chodi amrant, dyrchafu ffroen
Wrth iddynt sawru cerddoriaeth; felly swynais
Eu clyw. Fel lloi yn dilyn brefu, daethant
Tu ôl i mi ar hyd mieri pigog,
Eithin llym a drain mor finiog nes
Treiddio eu fferau tyner. Yn y diwedd,
Gadewais nhw yn llwydni llysnafeddog
Y pwll tu draw i'ch cell, yn dawnsio yno
Hyd eu genau, a'r llyn yn drewi'n waeth
Na'u traed.

PROSPERO: Fe wnaethost ti yn dda, fy nryw.
Parha yn anweledig yn dy ffurf.
Dwg y geriach yn fy nhŷ i yma,
Fel abwyd i ddal y lladron.

ARIEL:                              Af, fe af.

PROSPERO: Diafol, diafol o'r groth, ni fedr ei natur
Dderbyn marc magwraeth arall fyth;
Mae'r holl drafferthion dynol a gymerais
I yn wastraff llwyr! Ac, fel y mae ei gorff
Wrth fynd yn hŷn yn troi'n fwy salw
Felly mae ei feddwl yn fwy llidiog.
Fe'u plagiaf oll, nes iddynt ruo. Tyrd,
Gad i ni'u hongian nhw fel golch ar y lein.
(*Daw ARIEL i mewn, dan lwyth o ddillad disglair, ayyb. Daw
CALIBAN, STEFFANO a TRINCULO i mewn, yn wlyb*)

CALIBAN: Troediwch yn ysgafn, da chi, rhag ofn i'r twrch
Daear eich clywed. Ry'n ni'n agos at ei gell.

STEFFANO: Fwystfil, ni wnaeth dy dylwyth teg – yr un rwyt
ti'n honni sy'n ddiniwed – ddim mwy na chwarae mig â ni.

TRINCULO: Fwystfil, rwy'n drewi o biso march, ac mae
'nhrwyn i'n protestio.

STEFFANO: F'un innau hefyd. Wyt ti'n clywed, fwystfil? Os cymera i'n dy erbyn, gwylia di!

TRINCULO: Fe fyddet ti'n fwystfil colledig.

CALIBAN: Fy arglwydd da, paid troi yn fy erbyn i.
Amynedd! Fe fydd y wobr yn fwy na digon
I guddio'r camgymeriad. Felly, sibrydwch!
Mae'n dawel fel canol nos o hyd.

TRINCULO: Ie, ond i golli'n poteli yn y pwll –

STEFFANO: Nid yn unig y mae gwarth a chywilydd yn hynny, anghenfil, mae hefyd golled tragwyddol.

TRINCULO: Fe frifodd fi'n fwy na'r drochfa, ac eto, dyma i ti, anghenfil, dy dylwyth teg diniwed.

STEFFANO: Rwy am geisio fy mhotel, er y bydda i dros fy nghlustiau am fy nhrafferth.

CALIBAN: Fy mrenin, rwy'n erfyn, bydd dawel! Wel' di yma:
Hwn yw ceg y gell. Dim sŵn, cer mewn.
Gwna'r gamwedd dda a all droi'r ynys hon
Yn eiddot am byth a fi, dy Galiban,
Yn llyfwr troed i ti yn wir.

STEFFANO: Rho i mi'th law. Rwy'n dechrau magu meddyliau gwaedlyd.

TRINCULO: (*Yn gweld y dillad*)
O Frenin Steffano! O bendefig! O Steffano deilwng! Edrych y fath wardrob sydd yma i ti!

CALIBAN: Gad iddo fod, y ffŵl; sothach yw e.

TRINCULO: O ho, fwystfil, ry'n ni'n gwybod yn iawn beth sy'n perthyn mewn siop ail-law. O Frenin Steffano!
(*Mae'n gwisgo dilledyn*)

STEFFANO: Tynn y gŵn 'na, Trinculo. Myn fy llaw, fe gaf i hwnna.

TRINCULO: Fe'i cei, Dy Ras.

CALIBAN: Y dropsi foddo'r ffŵl 'ma. Pa synnwyr sydd
Mewn dotio ar fath geriach? Gad iddo fod.
Llofruddia'n gynta. Os digwydd iddo ddihuno
Fe lenwith ein croen o'n pen i'n traed
 phinsio nes ein bod ni'n werth dim byd.

STEFFANO: Taw, anghenfil. Feistres Lein, onid dyma yw fy siaced? Nawr mae'r siaced o dan y cyhydedd. Nawr, siaced, rwyt ti'n debygol o golli dy wallt a phrofi'n siaced foel.

TRINCULO: Ie, ie. Ry'n ni'n dwgyd 'da'r blymen a'r lefel, â phlesio'ch Gras.

STEFFANO: Diolch iti am y jôc; dyma ddilledyn amdano. Ni fydd ffraethineb heb ei wobr tra byddaf frenin y wlad hon. 'Dwgyd 'da'r blymen a'r lefel.' Da iawn, *touché*! Wele ddilledyn arall amdano.

TRINCULO: Fwystfil, rho fêl ar dy fysedd a chymer y gweddill.

CALIBAN: Wna' i ddim eu cyffwrdd. R'yn ni'n colli amser,
Fe gawn ni'n newid yn wyddau neu'n hytrach, epaod
Â thalcen brwnt o isel.

STEFFANO: Fwystfil, defnyddia dy ddwylo. Helpa fi i gario hwn i ble mae fy nghasgen o win, neu fe'th alltudiaf o'm teyrnas. Cer, caria hwn.

TRINCULO: A hwn.

STEFFANO: Ie, a hwn.

(*Clywir sŵn helwyr. Daw mintai o ysbrydion i mewn ar ffurf cŵn hela, yn eu cwrso o amgylch, gyda PROSPERO ac ARIEL yn eu hannog ymlaen*)

PROSPERO: Hei! Taran, hei!

ARIEL: Mellt. Ar ei ôl o, Fellt!

PROSPERO: Corwynt. Fan'na, Fflach, Fflach fan'na! Clywch. clywch!

(*Mae'r ysbrydion yn gyrru CALIBAN, STEFFANO a TRINCULO oddi ar y llwyfan*)

Ewch i gyd! Gwnewch i'm corachod falu'u
Cymalau'n sychion, perwch dynhau eu gewynnau
Â chrampiau henoed, pinsiwch nhw'n gas yn gleisiau
Fel bod eu crwyn yn fwy brych na'r llewpart neu gath
Wyllt y mynydd.

ARIEL:                Clywch! Maen nhw'n rhuo!

PROSOPERO: Helwch nhw'n drylwyr. Dyma'r awr y mae
Pob un o'm gelynion yn fy mhŵer. Cyn hir
Fe ddaw fy holl lafur i ben, ti gei

Ryddid yr aer i gyd. Ond dilyn fi
Ychydig yn hwy, a rho i mi dy wasanaeth.

(*Ânt allan*)

# ACT V

## GOLYGFA I

*(Daw PROSPERO i mewn yn ei wisg hud, gydag ARIEL)*

PROSPERO: Mae f'arbrawf nawr yn tynnu tua'r terfyn.
    Mae fy swynion yn dal; f'ysbrydion yn ufudd; mae amser
    Yn gefnsyth, ei faich yn ysgafn. Pa awr yw hi?

ARIEL: Y chweched, fy arglwydd, yr un a addewaist
    Y deuai'n gwaith i ben.

PROSPERO:                Dywedais hynny,
    Pan godais y storm yn gyntaf. Dywed, fy ysbryd,
    Sut y mae'r Brenin a'i ddilynwyr?

ARIEL:                     Yn gaeth ynghyd
    Yn union fel y gorchmynnoch chi, ac fel y
    Gadawsoch nhw, yn garcharorion oll,
    Ger y llannerch leim sy'n gysgod gwynt i'ch cell.
    Ni fedrant symud nes i chi'u rhyddhau.
    Mae'r Brenin, ei frawd a'ch brawd chi'n sefyll, y tri
    Wedi drysu, a'r lleill yn galaru drostynt, yn gorlifo
    Â thristwch a gofid; ond neb yn fwy na'r un
    Y cyfeirioch chi ato fel hen Arglwydd Gonzalo.
    Mae'r dagrau'n diferu o'i farf fel dafnau'r gaeaf
    O fargod brwyn. Y mae eich swyn yn gweithio
    Mor galed, pe baech chi'n eu gweld, fe fyddech
    Yn teimlo'n fwy tyner.

PROSPERO:             Ysbryd, ai dyna dy farn?

ARIEL: Ie, pe bawn i'n ddynol, syr.

PROSPERO:                Fe wnaf i hefyd.
    Os meddi − sydd ond aer, gyffyrddiad − naws
    Eu trallod, oni wnaf i (sy'n un o'u math,
    Sy'n profi pob dim yr un mor awchus, dioddef

Fel nhw) deimlo yn garedicach na thi?
Ond er fy mod yn teimlo'u camweddau i'r byw,
Rwy'n ochri â'm rheswm mwy nobl yn erbyn
Fy llid. Y mae gweithredoedd rhinwedd
Yn brinnach nag actau dial. A hwythau'n edifar,
Nid yw fy mhwrpas yn estyn un gwg
Ymhellach. Dos, rhyddha nhw, Ariel.
Fe dorraf fy swynion, ac adfer eu synhwyrau.
Cânt ddod i'w pwyll.

ARIEL:           Fe af i'w mofyn, syr.

PROSPERO: (*Mae'n tynnu cylch*)
Chi dylwyth y bryniau, nentydd, lynnoedd llyfn
A llwyni, chi sy'n ymlid gyda thraed di-ôl
Neifion ar drai ac yn diengid rhagddo
Pan ddaw'n ei ôl; chi hanner pypedau sydd,
Liw'r lloer, yn creu y cylchoedd sur mewn gwyrdd
Na fwyteir gan y famog; chi sy'n gwneud
Y madarch ganol-nos er mwyn difyrrwch,
Sy'n llawenhau o glywed nodyn dwys
Cloch yr hwyr; trwy nerth y rhain –
Er meistri gwan y boch – diffoddais yr haul
Ar ganol dydd, gorfodi'r gwyntoedd afreolus
A chynnau rhyfel rhwng y dyfroedd gwyrdd
A glas y ffurfafen gyda rhu; rhoddais dân
I'r daran sy'n cymell braw a hollti derwen
Gadarn Iau â'i fellten ef ei hun; perais i'r pentir
Ar ei seiliau cryfion grynu, codi'r pin
A'r cedrwydd gerfydd eu gwreiddiau.
Dihunodd y beddau eu meirw, agor eu drysau
Ar wŷs fy nysg bwerus. Ond gwrthodaf
Yr hud gormesol hwn; pan fynnaf gael
(Fel y mynnaf nawr) rhyw felodïau nefol
I weithio'm bwriad ar synhwyrau'r rhai
Sy'n wrthrych swyn y dôn, torraf fy ffon,
Ei gladdu lawr ym mhellafoedd daear
A dyfnach nag y treiddiodd plymen erioed,
Boddaf fy llyfr.

(*Daw ARIEL i mewn yn gyntaf; yna ALONSO, gydag ystum gwyllt, gyda GONZALO yn gofalu amdano; daw SEBASTIAN ac ANTONIO yn yr un modd, dan ofal ADRIAN a FFRANSISCO. Maent i gyd yn mynd i mewn i gylch PROSPERO ac yn sefyll yno, wedi eu hudo. Wrth i PROSPERO weld hyn, mae'n siarad*)

Boed i alaw ddwys – y moddion gorau
I ffansi aflonydd – wella d'ymennydd
Sy'n ferw o fewn dy benglog diwerth nawr.
Sefwch dan swyn; Gonzalo sanctaidd,
Ddyn anrhydeddus, y mae dy ddagrau'n tynnu
Cyfeillion i'm llygaid i, sy'n ffrydio hefyd.
(*I'r naill ochr*) Mae'r hud yn toddi.
Fel y daw lleidr bore i ddadmer y nos
Felly mae eu synhwyrau'n gwawrio, clirio'r
Mwg a gymylodd eu rheswm, yn anwybodus
Rhonc. Gonzalo dda, fy ngheidwad triw
A ffyddlon i'r un rwyt ti'n ei ddilyn,
Fe dalaf i ti'n llawn mewn gair a gweithred.
Alonso, defnyddiaist fi a'm merch yn greulon.
Bu dy frawd yn rhan o'r cynllun ac, am hynny,
Cei dy boenydio'n awr! – Di gig a gwaed,
Fy mrawd, coleddaist uchelgais, gyrru allan
Pob edifeirwch a natur, gyda Sebastian
(Oherwydd hyn y mae ei boenau mewnol waethaf)
Fe fyddet wedi lladd eich Brenin. Rwyf yn
Maddau it, er dy fod yn annaturiol.
(*I'r naill ochr*) Y mae eu deall yn dechrau chwyddo nawr
A daw, cyn hir, fel llanw i guddio'r lan
Resymol sy nawr yn llaid aneglur. Nid
Yw'r rhai sydd yn fy ngweld yn f'adnabod.
Ariel, myn fy het a'm cledd o'm cell.
(*Â ARIEL allan ond mae'n dychwelyd yn syth*)
Datguddiaf fy hun mewn eiliad a chyflwyno
Fy hun fel Dug Milano. Brysia, ysbryd,
Cei fod yn rhydd cyn hir.

*(Yn canu ac yn gwisgo PROSPERO)*

ARIEL: Lle sugna'r gwenyn sugnaf i
  Mewn briallu rwy'n diogi;
  Pan fo'r gwdihŵ yn crïo
  Ar gefn ystlum bydda' i'n fflio;
  Fe ddilynaf haf mewn miri.
  Llawen, llawn, rwy'n mwynhau
  Afiaith coeden yn ei blodau.

PROSPERO: Wel dyna fy Ariel gywrain! Gwelaf hiraeth
 Ar dy ôl, ond cei dy ryddid. Felly,
 Felly, felly. Dos at long y Brenin
 Yn anweledig; yno cei y morwyr
 Ynghwsg. Ar ôl dihuno'r meistr a'r bosn
 Tyrd â nhw yma nawr, os gweli'n dda.

ARIEL: Fe lyncaf yr aer o'm blaen, dychwelyd cyn
 Dau guriad o'th galon.

            *(Allan)*

GONZALO: Y mae pob trafferth, poen, rhyfeddod, syndod
 Yma. Arweined pŵer nefol ni
 Allan o'r wlad arswydus hon.

PROSPERO:       Syr Frenin,
 Wele Ddug Milano a gafodd gam,
 Prospero! Fel mwy o brawf mai gwir
 Dywysog sy'n siarad, rwy'n cofleidio'th gorff,
 Dymuno i'th gwmni groeso cynnes.

ALONSO: Ni wn ai ti yw ef ai peidio
 Ynteu ai rhith hudolus wyt i'm twyllo
 A'm cam-drin (fel yn ddiweddar). Y mae dy gnawd
 Yn curo fel cig a gwaed; ers imi'th weld
 Mae'r storm fu yn fy mhen yn clirio,
 Ond ofnaf y bûm yn wallgo. Os yw hyn
 Yn bod, mae'r eglurhad yn chwedl ryfedd.
 Rwy'n ildio dy ddugaeth, yn erfyn i ti faddau
 Fy mhechod. Ond sut mae Prospero yn fyw?
 Fan hyn?

PROSPERO: *(Wrth GONZALO)*

GOL I]

Yn gyntaf, gyfaill uchelfrydig,
Gad i mi gofleidio'th henaint, mae ei anrhydedd
Yn drech na mesur.
GONZALO:          A yw hyn yn wir
Ai peidio, 'wn i ddim.
PROSPERO:          Mi rydych chi
O dan ddylanwad cywrain yr ynys, sy'n gwneud
Hi'n anodd i gredu. Croeso, fy ffrindiau i gyd.
(*I'r naill ochr wrth SEBASTIAN ac ANTONIO*)
Ond chi, fy mhâr o arglwyddi, pe mynnwn i,
Medrwn bryfocio gwg y Brenin arnoch
A'ch profi'n fradwyr! Ond, am y foment, tewaf.
SEBASTIAN: Dyma eiriau'r diafol.
PROSPERO:                    Na.
Mi rydw i, di syr cythreulig – byddai
Dy alw'n frawd yn halogi'm ceg – yn maddau
Dy fai ffieiddiaf – y cyfan; ac rwy'n hawlio
Fy nugaeth gennyt sydd, fel gwyddost ti,
Yn rhaid ei hadfer.
ALONSO:          Os ti yw Prospero,
Dyro i ni fanylion d'arbediad, sut
Y cwrddaist â ni a ddrylliwyd ar y lan
Dair awr yn ôl, lle collais i (mae pwynt
Y cofio hyn yn finiog) f'annwyl fab,
Fferdinand.
PROSPERO: Ddrwg gen i glywed, syr.
ALONSO: Mae'n golled lwyr ac nid oes gan amynedd
Wellhad i'w gynnig.
PROSPERO:          Yn fy marn, ni cheisioch
Ei chymorth hi; fe gefais ras ei moddion
Am golled debyg, gwnaeth ei rhinweddau nerthol
Fi'n hollol fodlon.
ALONSO:          Cawsoch golled debyg?
PROSPERO: Mor enbyd a diweddar; gyda llai o fodd
Na feddwch chi i fod yn gysur ich.
Oherwydd collais i fy merch.

73

ALONSO:                          Eich merch?
   O na fydden nhw ill dau yn byw
   Yn Napoli'n frenin a brenhines yno,
   A minnau'n lleidiog yn y gwely llysnafeddog
   Lle cwsg fy mab. Pryd golloch chi eich merch?
PROSPERO: Yn y storm ddiwetha hon. Rwy'n gweld bod
                                   y rhain
   Yn synnu gymaint at fy nghyfarfod i
   Bod rheswm wedi'i ddifa, bod eu geiriau'n
   Ddim ond anadl. Ond er eich cnocio
   Oddi ar eich synhwyrau, gwybyddwch chi
   Mai fi yw Prospero, yr union ddug
   A yrrwyd o Milano ac, mewn dull
   Rhyfeddol, a laniwyd ar yr ynys lle
   Y drylliwyd chi, i fod yn arglwydd arni.
   Dim mwy am nawr, mae hon yn stori hir,
   Adroddiad hwy na brecwast, nad yw'n gweddu
   Cyfarfod cyntaf. Croeso i chi, syr.
   Fy llys yw'm cell; mae gen i ychydig weision,
   A neb yn ddeiliaid. Os mynnwch, edrychwch i mewn
   Gan i chi roi fy nugaeth i mi eto,
   Fe'ch talaf â rhywbeth cyfwerth neu, o leiaf,
   Cewch weld rhyfeddod a fydd yn eich plesio
   Gymaint â'm dugaeth i mi.
   *(Yma mae PROSPERO yn dadlennu FFERDINAND a*
                  *MIRANDA, yn chwarae gwyddbwyll)*
MIRANDA: Fy arglwydd annwyl, rydych chi'n fy nhwyllo.
FFERDINAND: Ni wnawn i hynny, fy nghariad, am y byd.
MIRANDA: Na, fe wnelech chi am ddeuddeg teyrnas
   Ond fe alwen i hynny'n chwarae teg.
ALONSO:                          Os profir
   Hwn yn un o rithiau'r ynys, collaf
   Un mab a garaf ddwywaith.
SEBASTIAN:                    Gwyrth aruchel!
FFERDINAND: *(Yn gweld ALONSO a'r lleill)*
   Er bod y môr yn bygwth, y mae'n dosturiol.

Fe'i melltithiais heb achos. (*Mae'n penlinio*)

ALONSO: Nawr disgynned
Holl fendithion tad sy'n falch o'th amgylch!
Cwyd a dywed sut doist ti yma.

MIRANDA: O ryfeddod!
Wele gynifer o greaduriaid teg!
Mor hardd yw'r ddynoliaeth! O fyd newydd, dewr
Sy'n cynnwys y fath bobl!

PROSPERO: Mae'n newydd i ti.

ALONSO: A phwy yw'r forwyn hon 'da ti mewn gêm?
Ni allwch adnabod eich gilydd prin dair awr.
Ai hi yw'r dduwies a'n gwahanodd ni
A'n dwyn at ein gilydd fel hyn?

FFERDINAND: Syr, mae'n feidrol,
Ond, trwy anfeidrol Ragluniaeth, hi yw 'ngwraig.
Dewisais hi pan nad oedd gennyf dad,
Na modd i ofyn cyngor ganddo. Hi
Yw merch y Dug Milano enwog hwn –
Yr un y clywais gymaint sôn amdano
Na welais i o'r blaen – yr un a roddodd
Ail fywyd im; ac sydd imi'n ail dad
Drwy'r foneddiges hon.

ALONSO: Rwyf i'n ail dad
I hithau. O mae'n swnio'n rhyfedd, fy mod
Yn gofyn i fy mhlentyn am faddeuant.

PROSPERO: Syr,
Dim mwy. Na foed in lwytho ein hatgofion
Â thrymder a fu.

GONZALO: Pe na bawn yn wylo'n fewnol,
Cyn hyn byddwn wedi siarad. Edrychwch lawr,
Chwi dduwiau ar y cwpwl hyn a gosod
Coron fendithiol arnynt, canys chi
A'n dygodd yma.

ALONSO: Amen i hynny, Gonzalo.

GONZALO: A yrrwyd Milano o Filano er mwyn
Bod ei epil yn teyrnasu ar Napoli?

O llawenhewch tu hwnt i lawenydd cyffredin,
Sgrifennwch mewn aur ar bileri cedyrn: un fordaith,
A chafodd Claribel ei gŵr yn Nhunis;
A chafodd Fferdinand, ei brawd, a gollwyd, wraig;
Ar ynys wael cafodd Prospero ei ddugaeth;
A daethom oll o hyd i ni ein hunain
A oeddem oll ar goll.

ALONSO: (*Wrth FFERDINAND a MIRANDA*)
                  Rhowch imi'ch dwylo.
Bydded galar a gofid yng nghalon y dyn
Na fynn i chi lawenydd.

GONZALO:            Ie'n wir; amen.
(*Daw ARIEL i mewn gyda'r MEISTR a'r BOSN yn dilyn, wedi drysu*)

O edrychwch, syr, edrychwch; dyma fwy ohonom!
Proffwydais, os oedd un crocbren ar dir sych
Na allai hwn fyth foddi. (*Wrth y BOSN*) Di gablwr, regai
Gras i'r dŵr, dim llwon ar y lan?
Dim tafod ar dir sych? Beth yw'r newyddion?

BOSN: Y gorau yw i ni gael ein Brenin a'i gwmni'n
Ddiogel. Y nesaf yw bod ein llong a dybiwyd
Yn hollt dair awr yn ôl, yn gyfan, hydrin,
Ei rig mor braf â phan hwyliasom gyntaf.

ARIEL: (*Wrth PROSPERO*)
Syr, fe wnes i hyn i gyd ers mynd.

PROSPERO: Fy ysbryd castiog!

ALONSO:               Nid digwyddiadau
Naturiol mo'r rhain; y maen nhw'n troi o'r rhyfeddach
I'r rhyfeddaf. Dywedwch, sut daethoch yma?
Dyma'r ddrysfa ryfeddaf droediodd dyn
Erioed, mae yn y busnes rywbeth mwy
Nag sy'n naturiol. Mae angen oracl
I gywiro'n deall ni.

PROSPERO:         Fy arglwydd, na
Thrafferthwch eich meddwl â phoeni am y busnes
Hynod hwn. Pan gawn ni hamdden cyn

Bo hir, egluraf i (mewn ffordd debygol)
Bob un o'r damweiniau a ddigwyddodd. Tan hynny,
Byddwch lawen a meddyliwch y gorau. (*I'r naill ochr wrth*
*ARIEL*) Tyrd yma, ysbryd, rho'u rhyddid i Caliban a'i gwmni.
Datod y swyn. (*Â Ariel allan; wrth ALONSO*) A chithau, rasol
syr?
Mae eto rai o'ch cwmni chi yn eisiau,
Rhyw lanciau od yr anghofioch chi amdanynt.

(*Daw ARIEL i mewn, yn gyrru CALIBAN, STEFFANO a*
*TRINCULO yn y dillad a ladratwyd ganddynt*)

STEFFANO: Edryched pawb allan am bawb arall, na ofaled neb
am ei hunan, ffawd yw'r cyfan. *Corraggio*, fwystfil dynol,
*corraggio*.

TRINCULO: Os mai ysbiwyr triw rwy'n gwisgo yn fy mhen,
dyma weledigaeth braf.

CALIBAN: O Setebos, wele ysbrydion glew, yn wir!
Y mae fy meistr yn ysblennydd! Mae arnaf ofn
Y bydd yn fy nghosbi.

SEBASTIAN:                      Ha, ha!
Pa bethau yw'r rhain, fy arglwydd Antonio?
All arian eu prynu?

ANTONIO:                      Debyg. Mae un ohonynt
Yn bysgodyn go iawn y gallet ti ei werthu.

PROSPERO: Ond nodwch, f'arglwyddi, a yw bathodynnau'r
Rhain yn ddilys? Y cnaf afluniaidd hwn,
Mi roedd ei fam yn wrach, ac un mor gryf
Y medrai reoli'r lloer, creu llanw a thrai,
Teyrnasu yn ei lle, ond heb ei hawl.
Y mae'r tri yma'n lladron ond cynllwyniodd
Yr hanner diafol hwn (plentyn golau'r
Lloer) i'm lladd. Mae dau o'r rhain yn eiddoch;
Cymerwch nhw; a chydnabyddaf hwn
Sy'n wrthrych y tywyllwch.

CALIBAN:                      Fe binsith fi
Hyd farw.

ALONSO:    Steffano yw hwn, fy mwtler meddw.

SEBASTIAN: Mae'n feddw nawr. Lle cafodd win?

ALONSO: Mae Trinculo yn chwil. O ble cawsant
 Y fath lond croen sy'n peri iddynt wrido?
 Sut doist ti i'r fath bicil?

TRINCULO: Fe fues i mewn picil fel hyn ers imi'th weld di
 ddiwethaf; rwy'n ofni na ddaw e byth o'm hesgyrn.

SEBASTIAN: Wel, helô, Steffano.

STEFFANO: O, paid â'm cyffwrdd; nid Steffano ydw i ond
 cwlwm chwithig!

PROSPERO: Dymunaist fod yn frenin ar yr ynys,
 Syr?

STEFFANO:  Os felly, un poenus fyddwn i.

ALONSO: Wele'r rhyfeddod mwya' rioed.

PROSPERO: Mae moesau hwn yr un mor afluniaidd â'i ffurf.
 Cerwch, syr, i'm cell ynghyd â'ch cyfeillion.
 Os hoffech faddeuant, cliriwch y lle yn iawn.

CALIBAN: Gwnaf; o hyn ymlaen fe fyddaf ddoeth
 A cheisio gras. Am dwpsyn hanner pan
 Y bues i i weld y meddwyn hwn fel duw,
 Addoli'r ffŵl di-fflach!

PROSPERO:     Dos o 'ma felly.

ALONSO: (*Wrth STEFFANO a TRINCULO*)
 A chithau. Dychwelwch y geriach lle y'u cawsoch.

SEBASTIAN: Eu dwyn, yn hytrach.

    (*Â CALIBAN, STEFFANO a TRINCULO allan*)

PROSPERO: Syr, gwahoddaf eich mawrhydi a'ch mintai
 I'm cell ddi-nod, lle medrwch orffwys am
 Un nos, a threuliaf ran ohoni'n traethu –
 I'w phasio'n chwim – yn adrodd am fy hanes,
 A'r hyn ddigwyddodd yma ers y ddamwain
 A ddaeth â mi at yr ynys hon – ben bore
 Fe'ch dygaf at eich llong, a mynd i Napoli,
 Lle gobeithiaf ddathlu defod priodas y ddau,
 Ein hannwyl gyfeillion; yna ymneilltuaf
 I'm cartref, Milano, lle bydd dau fyfyrdod
 O bob tri'n cysidro'm bedd.

ALONSO:                    Rwy'n ysu am glywed
    Hanes eich bywyd, fe fydd yn taro'r glust
    Fel rhywbeth rhyfeddol.

PROSPERO:                Cewch y cyfan, rwy'n addo:
    Moroedd tawel, gwyntoedd llesol, mordaith
    Mor chwim nes daliwch fflyd y Brenin sydd
    Ymhell o'ch blaen. (*I'r naill ochr wrth ARIEL*) Fy Ariel, fy
                                                    nghyw,
    Dyna dy dasg. Ond wedyn, i'r elfennau
    Bydd rydd, a da bo ti!
                                        (*Wrth y lleill*)
                    Os mynnwch, ewch mewn.
                                        (*Ânt allan*)

EPILOG

    (*A adroddir gan PROSPERO*)
    Trechwyd fy swynion i bob un,
    Nawr fy ngrym yw'n nerth fy hun
    A hwnnw'n wan. Cyfyngir fi
    Yma ar eich trugaredd chi,
    Neu fynd i Napoli. Bûm yn hael,
    A chan fy mod i yn ailafael
    Yn fy nugaeth, na foed i'ch hud
    Fy ngadael ar yr ynys hon yn alltud;
    Ond rhyddhewch fy nhraed o'u cyffion
    Gyda'ch dwylo da parodion.
    Ac os byddwch chi yn gwrthod
    Llenwi'm hwyl â'ch chwyth, fy nod
    Eich plesio, sy'n methu. Swyngyfareddu
    A chrefft ysbrydion sydd yn pallu;
    Ac anobaith fydd fy hanes
    Heb weddïau er fy lles,
    Sydd yn tynnu gras ynghyd
    Ac yn maddau 'meiau i gyd.
            Gobaith trosedd yw tosturi
            Rhowch fy rhyddid nawr i mi.

DIWEDD